体育运动学校教材

化 学

体育运动学校《化学》教材编写组编

人民体育出版社

图书在版编目（CIP）数据

化学/体育运动学校《化学》教材编写组编. -- 北京：人民体育出版社, 1998.07（2023.8重印）
体育运动学校教材
ISBN 978-7-5009-1580-5

Ⅰ.①化… Ⅱ.①体… Ⅲ.①化学–专业学校–教材 Ⅳ.①O6

中国版本图书馆CIP数据核字(1998)第06904号

*

人 民 体 育 出 版 社 出 版 发 行
北京中献拓方科技发展有限公司印刷
新 华 书 店 经 销

*

787×1092　16开本　9印张　120千字
1998年7月第3版　2023年8月第29次印刷
印数：340,351—340,850册

*

ISBN 978-7-5009-1580-5
定价：20.00元

───────────────────────

社址：北京市东城区体育馆路8号（天坛公园东门）
电话：67151482（发行部）　　邮编：100061
传真：67151483　　　　　　　邮购：67118491
网址：www.psphpress.com

（购买本社图书，如遇有缺损页可与邮购部联系）

前　言

　　为适应我国社会主义市场经济体制和教育、体育改革的需要，进一步提高体育运动学校办学质量和效益，培养德智体全面发展的优秀体育后备人才和社会需求的中等体育专业人才，根据1996年全国职业教育工作会议有关精神和国家体委修订下发的《三年制中等体育专业教学计划》及体育运动学校教学大纲，从目前我国社会对中等体育专业人才的需求和体育运动学校的实际出发，我们在原体育运动学校教材及试用教材的基础上重新修订和编写了这套体育运动学校教材，供三年制体育运动学校学生使用，也适用于其他中等体育专业学校。

　　体育运动学校教材由国家体委群体司组织编写，编写领导小组组长：谢亚龙。副组长：裴家荣、田文惠。成员：李今石、丛明礼、史勇。

　　本教材是在1992年第2版的基础上重新编写修订而成，内容包括物质及其变化、物质的量、化学平衡和电离平衡、烃及其衍生物、糖、蛋白质、酶、物质和能量代谢、运动时能量的供应和机能评定。适当地调整了难度，贯彻了"必需"和"够用"的原则，体现了简明、规范、实用和直观的特点。

　　参加本教材编写工作的有（按姓氏笔画排列）：江苏省体育运动学校陈天宇、上海市体育运动学校符雷、北京体育大学翟士领，最后由翟士领教授串编，并经国家教委聘任的全国中等专业学校《化学》课程组组长、高级讲师蒋鉴平审阅定稿。

体育运动学校《化学》教材编写组
1997年7月

目 录

第一章　物质及其变化 ………………………………………… 1
第一节　物质的组成和结构 ………………………… 1
一、物质的组成 ……………………………… 1
二、构成物质的微粒 ………………………… 2

[阅读材料]　人体组成中的元素 ……………… 5

第二节　物质的分类和变化 ………………………… 6
一、物质的分类 ……………………………… 6
二、物质的变化 ……………………………… 8

本章小结 …………………………………………… 11

第二章　物质的量 …………………………………………… 13
第一节　物质的量 …………………………………… 13
一、物质的量的单位 ………………………… 13
二、摩尔质量 ………………………………… 15
三、有关物质的量的计算 …………………… 16

第二节　物质的量浓度 ……………………………… 18
一、物质的量浓度 …………………………… 18
二、有关物质的量浓度的计算 ……………… 19

本章小结 …………………………………………… 21

第三章　化学平衡和电离平衡 ……………………………… 23
第一节　可逆反应和化学平衡 ……………………… 23
一、可逆反应 ………………………………… 23
二、化学反应速度 …………………………… 23
三、化学平衡 ………………………………… 24
四、浓度对化学平衡的影响 ………………… 25

第二节　溶液中的离子反应 ………………………… 27
一、强电解质和弱电解质 …………………… 27
二、弱电解质的电离平衡 …………………… 29
三、溶液中的离子反应 ……………………… 29

第三节　溶液的酸碱性和pH值 ……………………… 32
一、水的电离 ………………………………… 32

二、溶液的酸碱性和pH值 …… 32
　［阅读材料］　人体的酸碱平衡………… 35
　第四节　盐类的水解……………………… 36
　本章小结……………………………………… 39

第四章　烃及其衍生物……………………… 41
　第一节　有机化合物的特征 ……………… 41
　第二节　甲烷 ……………………………… 43
　　　一、自然界里的甲烷 ………………… 43
　　　二、甲烷的分子结构 ………………… 43
　　　三、甲烷的性质和用途 ……………… 44
　第三节　烷烃 ……………………………… 47
　　　一、烷烃 ……………………………… 47
　　　二、同系物 …………………………… 48
　　　三、同分异构体 ……………………… 49
　　　四、烃基 ……………………………… 51
　　　五、烷烃的命名 ……………………… 51
　第四节　乙烯 ……………………………… 54
　　　一、乙烯的分子结构 ………………… 54
　　　二、乙烯的性质和用途 ……………… 55
　　　三、乙烯的制法 ……………………… 57
　第五节　苯 ………………………………… 59
　　　一、苯的分子结构 …………………… 59
　　　二、苯的性质和用途 ………………… 60
　［阅读材料］　环烃 ……………………… 62
　第六节　乙醇 ……………………………… 63
　　　一、乙醇的结构和物理性质 ………… 63
　　　二、乙醇的化学性质 ………………… 63
　　　三、乙醇的工业制法和用途 ………… 64
　　　四、醇类 ……………………………… 65
　第七节　乙酸 ……………………………… 67
　　　一、乙酸的性质 ……………………… 67
　　　二、乙酸的用途 ……………………… 69
　　　三、羧酸 ……………………………… 69
　　　四、羟基酸和酮酸 …………………… 70

第八节　酯　油脂 ……………………… 71
　　一、酯的性质 …………………………… 71
　　二、油脂 ………………………………… 72
[阅读材料]　合成类固醇 …………………… 74
本章小结 ……………………………………… 75

第五章　糖　蛋白质 …………………………… 78
第一节　单糖 ………………………………… 78
　　一、葡萄糖 ……………………………… 78
　　二、果糖 ………………………………… 81
第二节　低聚糖 ……………………………… 82
　　一、蔗糖 ………………………………… 82
　　二、麦芽糖 ……………………………… 83
第三节　多糖 ………………………………… 84
　　一、淀粉 ………………………………… 84
　　二、纤维素 ……………………………… 86
　　三、糖原 ………………………………… 87
第四节　蛋白质 ……………………………… 88
　　一、氨基酸的组成 ……………………… 88
　　二、蛋白质的组成及性质 ……………… 90
　　三、血红蛋白简介 ……………………… 94
本章小结 ……………………………………… 96

第六章　酶 ……………………………………… 97
第一节　酶的性质和组成 …………………… 97
　　一、酶的概念 …………………………… 97
　　二、酶催化反应的特点 ………………… 97
　　三、酶的组成与结构 …………………… 98
第二节　环境对酶活性的影响 ……………… 101
　　一、影响酶催化反应速度的因素 ……… 101
　　二、运动对酶活性的影响 ……………… 103
[阅读材料]　运动时影响酶催化反应的因素的
变化 ………………………………………… 104
本章小结 ……………………………………… 105

第七章　物质和能量代谢 ……………………… 106
第一节　新陈代谢 …………………………… 106

　　　　一、物质代谢和能量代谢 …………… 106
　　　　二、合成代谢和分解代谢 …………… 106
　　　　三、人体内的能源物质 ……………… 107
　　　　四、人体内能量的释放和利用 ……… 109
　　第二节　糖的分解代谢 …………………… 110
　　　　一、糖的无氧代谢（糖酵解）……… 110
　　　　二、糖的有氧代谢 …………………… 111
　　　　三、乳酸代谢 ………………………… 112
　　第三节　脂肪的分解代谢 ………………… 113
　　　　一、脂肪的分解代谢 ………………… 113
　　　　二、运动对脂肪代谢的影响 ………… 114
　　第四节　蛋白质的分解代谢 ……………… 114
　　　　一、氨基酸分解代谢 ………………… 114
　　　　二、运动对蛋白质代谢的影响 ……… 115
　　第五节　糖、脂肪和蛋白质代谢的关系
　　　　　　 ……………………………………… 116
　　　　一、糖与蛋白质代谢的关系 ………… 116
　　　　二、糖与脂肪代谢的关系 …………… 116
　　　　三、蛋白质与脂肪代谢的关系 ……… 117
　　［阅读材料］　肥胖与控体重 ……………… 117
　　本章小结 ……………………………………… 119
第八章　运动时能量的供应和机能评定 ……… 120
　　第一节　运动时的能量供应 ……………… 120
　　　　一、磷酸原（ATP—CP）系统……… 120
　　　　二、糖酵解系统 ……………………… 121
　　　　三、有氧代谢系统 …………………… 121
　　　　四、运动时供能系统的动用顺序 …… 122
　　第二节　运动能力的评定 ………………… 123
　　　　一、磷酸原供能能力的评定 ………… 123
　　　　二、糖酵解能力的评定 ……………… 124
　　　　三、有氧代谢能力的评定 …………… 125
　　第三节　机能状态的评定 ………………… 127
　　　　一、血红蛋白 ………………………… 127
　　　　二、血尿素 …………………………… 129
　　　　三、尿蛋白 …………………………… 131

[阅读材料] 运动员贫血 …………………………… 132
本章小结 …………………………………………… 132
附录 I 相对原子质量表 ………………………… 134
附录 II 部分酸、碱和盐的溶解性表（20℃） ………… 135

第一章 物质及其变化

在初中化学教材里，我们已经了解化学是一门研究物质的组成、结构、性质以及变化规律的基础自然科学。本章将在初中化学的基础上，进一步研究物质的组成和结构，物质的分类和物质的变化等基础知识，使我们科学地认识周围的世界，为更多地了解化学知识在体育中的运用做准备。

第一节 物质的组成和结构

一、物质的组成

自然界中存在着千百万种不同的物质，它们是由什么组成的呢？科学研究发现，这些不同的物质都是由不同的元素以不同的形式组合而成的。

水电解后能生成氢气和氧气，说明水是由氢元素和氧元素两种元素组成的。而氢气和氧气则分别是由氢元素和氧元素一种元素所组成，因此三者性质不同。在一氧化碳和二氧化碳中，尽管它们都是由相同的碳元素和氧元素所组成，但由于在它们的分子中组成元素的原子个数不同，所以它们的性质也不相同。

元素以不同的形式组合，组成了形形色色不同的物质。元素以单质形态存在（如氢气和氧气），称之为元素的**游离态**。以化合物形态存在（如水），称之为元素的**化合态**。

为了便于认识和研究物质，化学上用化学式来表示物质的组成。例如，硫酸的化学式为 H_2SO_4，氢氧化钠的化学式为 NaOH。有些化学式同时也能表示这种物质分子的构成，这种化学式也叫分子式。例如，H_2O 既是水的化学式，也是水的分子式。

在化合物中，元素的原子以一定个数比结合，这是由元素的化合价决定的。如在氧化铝中，铝显+3价，氧显-2价。所以，氧化铝的化学式是Al_2O_3，这才符合化合物中各元素化合价的代数和为零的原则。

化学式中各原子的相对原子质量的总和称为**式量**。对于分子式来说，式量也可叫做分子量。

【练习】 确定下列物质中画横线的元素的化合价，并计算式量。

$\underline{P}_2O_5$　　K$\underline{Mn}O_4$　　H$_2\underline{S}O_4$　　$\underline{N}H_3$

二、构成物质的微粒

我们知道，分子、原子和离子是构成物质的微粒。有些物质是由分子构成的。如水是由水分子构成的，而1个水分子是由两个氢原子和1个氧原子构成的。有些物质是由原子直接构成的，如金刚石和石墨都是由碳原子构成的。还有一些物质是由离子构成的，如氯化钠是由带正电荷的阳离子（Na^+）和带负电荷的阴离子（Cl^-）构成的。

综上所述，物质的组成和构成物质的微粒之间的关系可用下图来表示：

$$\underbrace{元素\begin{cases}\to 游离态 \to 单\ 质\\ \to 化合态 \to 化合物\end{cases}}_{宏观组成} 物\ 质 \underbrace{\begin{cases}\to 分子\\ \to 原子\\ \to 离子\end{cases}}_{微观构成}$$

元素与原子的主要区别和联系如表1—1所示。

表1—1　元素与原子的主要区别和联系

	元　素	原　子
区别	(1) 表示物质宏观组成 (2) 只讲种类，不讲个数	(1) 表示物质微观构成 (2) 既讲种类，又讲个数
联系	元素是具有相同核电荷数的同一类原子的总称	

原子是构成物质的一种微粒，也是构成分子的一种微粒。原子可以定义为化学变化中的最小微粒。分子则是保持原物质化学性质的一种基本微粒。

1. 原子

原子是由位于原子中心的原子核和核外电子构成的。原子核是由质子和中子构成的。

一个电子带一个单位负电荷,一个质子带一个单位正电荷,中子不显电性。

电子的质量很小,仅为质子质量的1/1836,可见原子的质量主要集中在原子核上。质子和中子的相对质量分别为1.007和1.008,均取近似整数值为1。如果忽略电子的质量,将原子核内质子和中子的相对质量取近似整数值加起来,所得的数值叫做**质量数**,用符号 A 表示。

构成原子的微粒数之间存在如下关系:

核电荷数(Z)=核内质子数=核外电子数

质量数(A)=质子数(Z)+中子数(N)

构成原子中微粒间的关系可以表示如下:

$$原子(X)\begin{cases}原子核\begin{cases}质子(Z)个\\中子(A-Z)个\end{cases}\\核外电子 Z 个\end{cases}$$

【练习】 根据构成原子的各种微粒数之间的关系,求:

(1)质量数为40、核外电子数为18的氩原子的核电荷数、质子数和中子数。

(2)质量数为40、核外电子数为18的 Ca^{2+},它的原子的核电荷数、质子数和中子数。

通常,元素符号角标的意义可以用图1—1来表示:

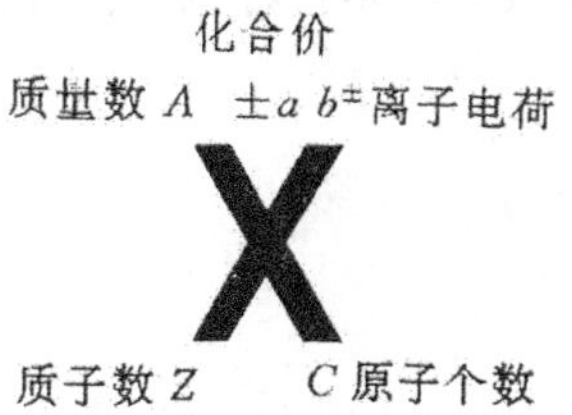

2. 分子

原子既然可以结合成分子,分子中原子之间必然存在着相互作用。通常,我们把相邻的两个或多个原子之间强烈的相互作用叫做**化学键**。

【实验1—1】 取黄豆粒大的一块钠,用滤纸吸干表面的煤油,放进铺有细沙的燃烧匙里加热,等钠刚开始燃烧后,立即伸进盛有氯气的集气瓶里。观察发生的现象。如图1—2(a)所示

从实验可以观察到,钠在氯气里剧烈燃烧,放出大量的热,生成白色的固体——氯化钠。

$$2Na+Cl_2 \xrightarrow{点燃} 2NaCl$$

图1—1 元素符号角标的意义

从原子结构来看，钠原子的最外电子层上有1个电子，容易失去。氯原子的最外电子层上有7个电子，容易得到1个电子。它们都有使最外电子层达到8个电子稳定结构的倾向。

一定条件下，钠跟氯气发生反应时，钠原子的最外电子层上的1个电子转移到氯原子的最外电子层上，形成带正电荷的钠离子（Na$^+$）和带负电荷的氯离子（Cl$^-$）。阴、阳离子之间的静电吸引作用，使钠离子和氯离子相互靠近。随着两种离子的相互接近，离子间存在的电子与电子、核与核之间的相互排斥作用逐渐增大。当两种离子接近到一定距离时，吸引和排斥作用达到了平衡，形成氯化钠。像这种阴、阳离子间通过静电相互作用而形成的化学键称为**离子键**。由离子键形成的化合物，是离子化合物。典型（活泼）金属和典型（活泼）非金属化合时，一般都形成离子键。

【实验1—2】 点燃从氢气发生装置的导管中溢出的氢气，然后把导管伸入满盛氯气的集气瓶里，观察现象。如图1—2（b）所示

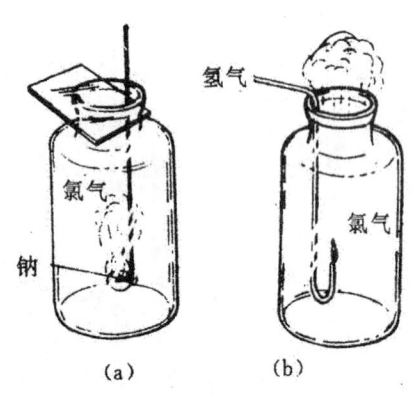

图1—2 钠和氢气在氯气中的燃烧

从实验中可以看到，氢气安静地在氯气中燃烧，火焰呈苍白色，瓶口有白雾产生。

$$H_2 + Cl_2 \xrightarrow{\text{点燃}} 2HCl$$

氯气跟氢气是怎样化合成氯化氢的呢？

我们知道，氯和氢都是非金属元素，不仅氯原子很容易获得1个电子，形成最外电子层8个电子稳定结构，而且氢原子也容易获得1个电子，形成最外电子层有两个电子的稳定结构。由于这两种元素的原子对它们的最外层电子都具有较强的吸引能力，所以都不能把对方的电子夺过来，而是双方各以最外电子层上的1个电子组成一个电子对为两个原子共用。两个共用电子在两个原子核外的空间运动，使两个原子最外层都达到稳定结构。可见氯和氢化合时，氢原子和氯原子之间是通过共用电子对结合成氯化氢分子的。这种原子间通过共用电子对所形成的化学键，称为**共价键**。由共价键形成的化合物称为共价化合物。

非金属元素的原子之间，都以共价键相结合。例如，在构成氢气、氯气、甲烷、乙烯等物质的分子中，原子间都是以共价键相结合的。

【阅读材料】

人体组成中的元素

元素是人体组成的基本物质，组成人体的元素再以一定的结合方式构成不同的化合物。无论是人体所含的大量元素还是微量元素，都对人体内的酶及内分泌功能、新陈代谢、生长发育、免疫功能和健康长寿具有十分重要的意义。人体摄入不足或摄入比例失调，都会对机体产生不利影响，甚至导致疾病及衰老的发生。

例如，氯元素和钠元素是人体必不可少的重要元素。一个人每天必须摄入一定量的氯化钠。如果摄取的钠盐过少，就会感到食欲不振，四肢乏力。但是吃得过多，对身体健康也不利。

又如，碘是人类发现的第二个人体必需的微量元素。它是甲状腺素的组成元素之一，具有重要的生理功能。缺碘会引起地方性甲状腺肿及克汀病（呆小病）。如果人体摄入加碘盐和含碘丰富的海产品，可预防缺碘造成的危害。

习 题

1. 下列说法是否正确？如果不正确，请予改正。
(1) 五氧化二磷是由两个磷原子和 5 个氧原子组成。
(2) 水是由两个氢元素和 1 个氧元素组成。
(3) 二氧化碳分子由碳元素和氧元素组成。
(4) 氯化钠是由钠离子和氯离子构成。
2. 填下表：

元素符号	核电荷数	质子数	中子数	电子数	质量数
C	6				12
Mg		12	12		
Br	35				80
Cl⁻	17		18		

3．(1) 标出下列化合物中氮元素的化合价：

HNO₃　　NH₄NO₃　　NO₂　　HNO₂　　NO

(2) 已知下列各原子团的化合价 NH_4^{+1}、NO_3^{-1}、SO_4^{-2}、OH^{-1}，根据化合价写出下列化合物的化学式并计算其式量：

硝酸亚铁　　硫酸铁　　硝酸铝　　氢氧化铜　　硫酸铵

4．什么叫做化学键？说出下列物质中的化学键的类型。

(1) K₂S　　(2) H₂S　　(3) NH₃　　(4) NaOH

第二节　物质的分类和变化

人们在研究中发现，物质的性质是由物质的组成和结构决定的，因此，科学上根据物质的组成和结构对物质进行分类，并通过对其代表物的研究，来了解各类物质的性质及确定其用途。

一、物质的分类

物质的分类，可用下图表示：

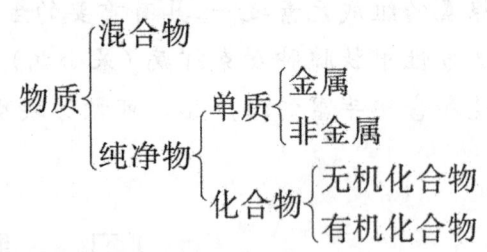

$$\text{物质}\begin{cases}\text{混合物}\\\text{纯净物}\begin{cases}\text{单质}\begin{cases}\text{金属}\\\text{非金属}\end{cases}\\\text{化合物}\begin{cases}\text{无机化合物}\\\text{有机化合物}\end{cases}\end{cases}\end{cases}$$

1．纯净物和混合物

纯净物是由一种物质组成的，包括单质如氧气、氮气等，化合物如水、蔗糖等；混合物是由多种物质组成的，如空气、食盐溶液和碘酒等。

由于纯净物有固定组成,因此它的性质是一定的。例如，压强为 101.3kPa 时，水的沸点是 100℃，凝固点是 0℃。混合物没有固定的组成，当组成发生变化时，会使它们的某些性质发生变化。例如不同浓度的食盐水，沸点和凝固点各不相同，当食盐水的浓度为 23.3％时，其凝固点最低可达 －22.4℃，常被用作制冷剂。

化学上研究的主要对象是纯净物。

【练习】 下列物质中,哪些属于混合物?哪些属于纯净物?

水银、干冰、明矾、澄清石灰水、盐酸、硫酸锌

(1) 单质和化合物

纯净物可以分为单质和化合物。

由同种元素组成的纯净物称为**单质**。单质又可分为金属和非金属。

金属具有特殊的光泽,容易导电、传热,有延展性,常温下是固体(汞为液体)。非金属一般没有金属光泽,不导电、不传热,通常为固体或气体(溴为液体)。

金属和非金属之间没有绝对的界限。例如,锗和硅既能表现出金属的性质,有时又表现出非金属的性质,是常见的半导体材料。

由不同种元素组成的纯净物称为**化合物**。化合物可分为无机化合物和有机化合物两大类。我们学过的无机化合物有氧化物、酸、碱和盐等。

(2) 氧化物、酸、碱和盐

【讨论】 分别指出下列物质属于氧化物、酸、碱和盐中的哪一类?

H_2O、$KClO_3$、$NaOH$、Al_2O_3、H_2SO_4、SO_2、CaO

根据氧化物的性质,通常把氧化物分为酸性氧化物(如 CO_2、SO_2 等),碱性氧化物(如 CaO、MgO 等)和两性氧化物(如 Al_2O_3)。

碱性氧化物都是金属氧化物,酸性氧化物大多是非金属氧化物。有些氧化物既能跟酸反应,又能跟碱反应生成盐和水,这种氧化物称为**两性氧化物**。如前面提到的氧化铝(Al_2O_3)是两性氧化物,它既能跟酸反应,又能跟碱反应生成盐和水。

$$Al_2O_3 + 6HCl \longrightarrow 2AlCl_3 + 3H_2O$$
$$Al_2O_3 + 2NaOH \longrightarrow 2NaAlO_2 + H_2O$$
偏铝酸钠

【练习】完成下列反应的化学方程式:

(1) $Fe_2O_3 + HCl \longrightarrow$　　(2) $MgO + H_2SO_4 \longrightarrow$

(3) $CO_2 + NaOH \longrightarrow$　　(4) $SiO_2 + KOH \longrightarrow$

我们已经学过,电离时,生成的阳离子全部是氢离

子的化合物叫做**酸**，生成的阴离子全部是氢氧根离子的化合物叫做**碱**，由金属离子和酸根离子组成的化合物叫做**盐**。

通常酸可以分为**含氧酸**（如 H_2SO_4）和**无氧酸**（如 HCl），碱可以分为可溶性碱（如 NaOH）和不溶性碱 [如 $Cu(OH)_2$]，盐可以分为正盐（如 Na_2CO_3）、酸式盐（如 $NaHCO_3$）和碱式盐 [如 $Cu_2(OH)_2CO_3$] 等。

【讨论】 说出下列物质的名称，并指出它们分别属于哪一类酸、碱和盐。

H_2S、HNO_3、$Ba(OH)_2$、$Fe(OH)_3$、Na_2SO_4、$NaHSO_4$、$CuSO_4$、HF、H_3PO_4、$Cu_2(OH)_2CO_3$

二、物质的变化

物质的变化一般有物理变化和化学变化。化学变化也称化学反应。

1. 化学反应的基本类型

化学反应有四种基本类型：分解反应、化合反应、置换反应和复分解反应。

在金属与酸的置换反应中，只有比氢活泼的金属才能置换出酸中的氢。在金属跟某些盐溶液发生的置换反应中，只有活泼的金属才能把不活泼的金属从它们的盐溶液中置换出来。

金属活动性顺序如下：

K Ca Na Mg Al Zn Fe Sn Pb (H) Cu Hg Ag Pt Au

金属活动性逐渐减弱

【实验1—3】 在铜片上滴一滴氯化汞（$HgCl_2$）溶液，观察现象。注意，切忌用手抚摸生成物。

两种物质在溶液中相互交换成分而发生的化学反应，称为**复分解反应**。酸和碱、酸和盐、碱和盐、盐和盐之间都可能进行复分解反应。实验证明，复分解反应后如能生成沉淀、气体或水，则复分解反应可能进行。如果不能生成沉淀、气体或水，则复分解反应一般就不能进行。

【实验1—4】 在两支试管中分别加入 2mL 硝酸钾溶液和硝酸银溶液，然后分别逐滴加入 1mL 氯化钠溶液，观察现象。

氯化钠和硝酸钾溶液混合后，不能生成沉淀、气体或水，它们只简单地混合在一起，并不发生化学变化。氯化钠和硝酸银混合时，由于能生成白色的氯化银沉淀而发生了化学变化。

2. 单质、氧化物、酸、碱和盐的相互关系

我们学习了氧化物、酸、碱和盐的化学性质后，初步认识了它们之间有一定联系，并在一定条件下能互相转变。

由金属到盐的变化可以通过下列途径：

金属 $\xrightarrow{+O_2}$ 碱性氧化物 $\xrightarrow{+H_2O}$ 碱 $\xrightarrow{酸}$ 盐

如 Ca $\xrightarrow{+O_2}$ CaO $\xrightarrow{+H_2O}$ Ca(OH)$_2$ $\xrightarrow{H_2SO_4}$ CaSO$_4$

在这里需要说明的是，只有可溶性碱对应的碱性氧化物才能与水反应生成碱。

由非金属到盐的一般变化途径为：

非金属 $\xrightarrow{+O_2}$ 酸性氧化物 $\xrightarrow{+H_2O}$ 含氧酸 $\xrightarrow{碱}$ 含氧酸盐

如 C $\xrightarrow{+O_2}$ CO$_2$ $\xrightarrow{+H_2O}$ H$_2$CO$_3$ $\xrightarrow{Ca(OH)_2}$ CaCO$_3$

同样，金属跟非金属、碱性氧化物跟酸性氧化物、碱跟酸、盐跟盐等物质间都能发生反应。我们掌握了各类物质互相转变的规律，就能知道各类物质的主要化学性质和制取某些物质的可能方法。

例如生成盐可能有如下多种途径：

金属＋非金属（氧气除外）——→无氧酸盐

碱性氧化物＋酸性氧化物——→含氧酸盐

碱性氧化物＋酸——→盐＋水

酸性氧化物＋碱——→盐＋水

酸＋碱——→盐＋水

盐＋盐——→两种新的盐

各类物质的相互关系如图1—3所示。

各类物质的互相转变是有基本规律的，但这种转变只有在一定条件下才能实现。在实际生产中需要考虑原料、设备、成本等因素，所以不要把相互关系绝对化，脱离具体物质的性质和反应条件，更不能随便臆造化学方程式。

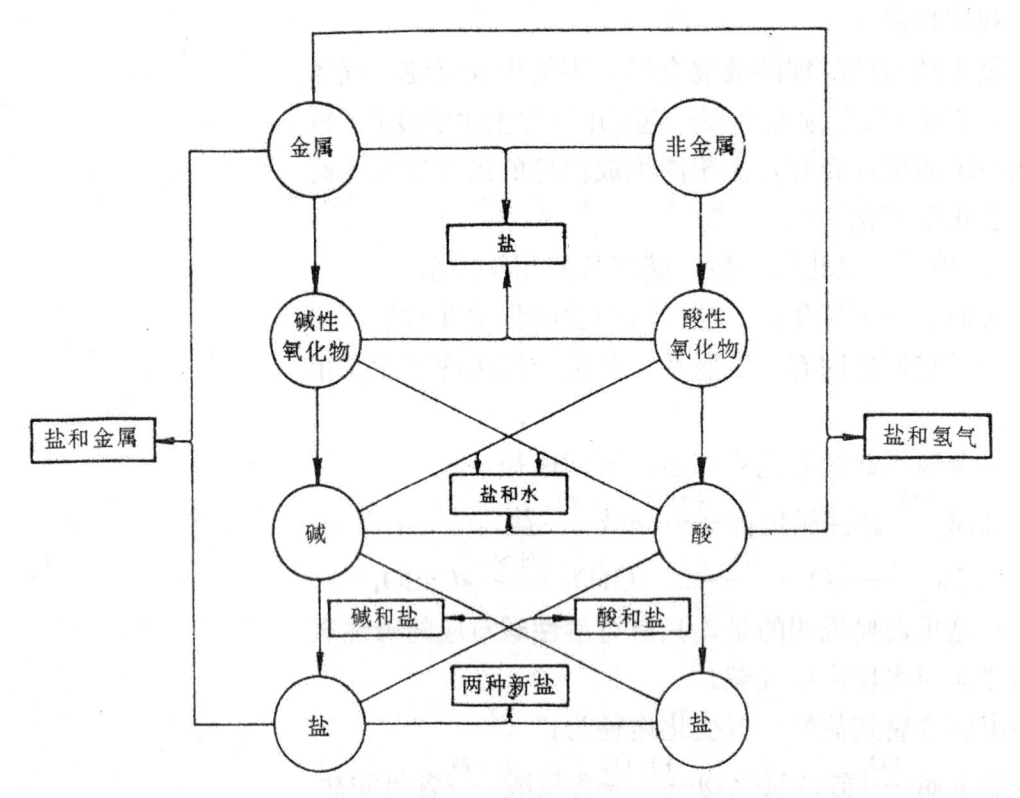

图 1—3 各类物质的相互关系

习　题

1. 下列各组物质相互之间能否发生反应？写出能发生反应的化学方程式。

(1) $Zn+CuSO_4$　　　(2) $Cu+FeSO_4$

(3) $Cu+HgCl_2$　　　(4) $Cu+H_2SO_4$(稀)

(5) $NaCl+KNO_3$　　(6) $AgNO_3+KCl$

(7) $NaOH+HCl$　　　(8) $CaCO_3+HCl$

2. 下列变化是物理变化还是化学变化？

(1) 钢铁生锈　　(2) 氯酸钾加热熔化，继续加热有氧气生成　　(3) 石灰水久置于空气中变浑浊

3. 填下表：

名称	生石灰	硫酸	硫酸铜	氮气	硫磺
化学式					
类别					

名称	水银	氢溴酸	碳酸氢铵	氢氧化钠	干冰
化学式					
类别					

4. 完成下列化学方式程式，并在括号内注明反应类型。

(1) Fe+____ ⟶ Cu+____ (　　)
(2) Na₂SO₄+____ ⟶ BaSO₄↓+____ (　　)
(3) CaCO₃+____ ⟶ CaCl₂+____+____ (　　)
(4) Fe(OH)₃+HCl ⟶ ____+____ (　　)
(5) Ca(OH)₂+____ ⟶ CaCO₃↓+____ (　　)
(6) CuO+____ ⟶ CuSO₄+____ (　　)
(7) ____+____ ⟶ NaCl (　　)
(8) KClO₃ ⟶ ____+____ (　　)

本章小结

一、物质的组成、结构和分类

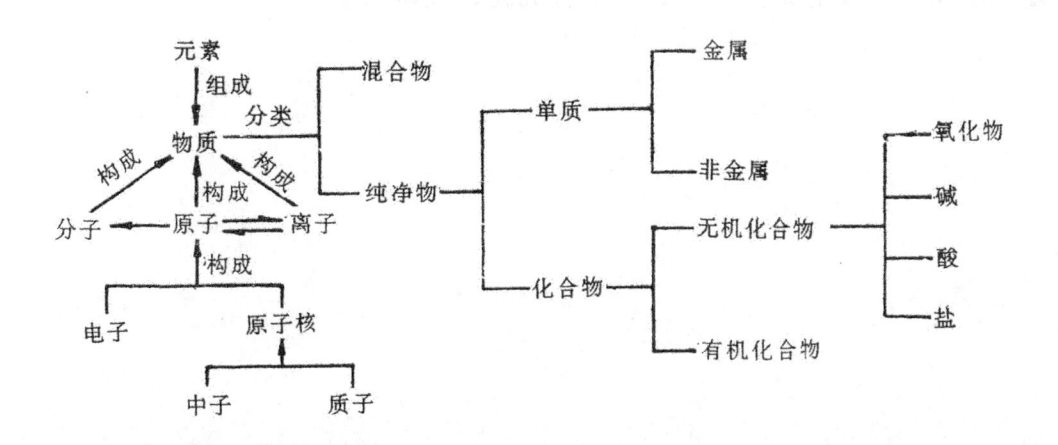

二、元素、原子和分子

元素是具有相同核电荷数的同一类原子的总称。元素可以用来表示物质的宏观组成。

原子是化学变化中的最小微粒。

分子是保持原物质化学性质的一种微粒。

离子是带电的原子或原子团。

原子、分子和离子用来表示物质的微观构成。

构成原子的微粒之间的关系：

核电荷数（Z）＝核外电子数＝核内质子数

质量数（A）＝质子数（Z）＋中子数（N）

三、化学键

相邻的两个或多个原子之间强烈的相互作用称为化学键。离子键和共价键是化学键的两个类型。

通过阴、阳离子之间静电相互作用而形成的键称为离子键，组成的化合物叫离子化合物。

原子间通过共用电子对相互作用而形成的键称为共价键，形成的化合物叫共价化合物。

四、物质的变化

物理变化和化学变化。

化学反应的基本类型：化合反应、分解反应、置换反应和复分解反应。

各类物质的性质及相互转换关系。

金属活动性顺序。

复分解反应完成的条件：生成物中有沉淀、气体或水。

第二章 物质的量

本章我们学习国际单位制中的一种基本单位①——**摩尔**，它表示**物质的量**。物质的量与温度、时间等一样，是一种物理量的名称，用于定量地研究物质及其变化。

我们知道物质是由肉眼看不见的微粒（分子、原子、离子等）构成的。在化学反应中，参加反应的物质的微粒之间按一定个数比进行相互作用。单个微粒难以称量，但在生产、生活和科学实验中所接触的物质是可以称量的，是大量微粒的集合体，所以，很需要把微粒跟可以称量的物质联系起来。

第一节 物质的量

一、物质的量的单位

怎样把肉眼看不见的微粒跟宏观的可以称量的物质联系起来呢？这就需要建立一种物质的量的基本单位，这个单位是含有相同个数的分子、原子、离子等微粒的巨大的集合体。正如我们把12这个单位数值称为"打"一样，12只乒乓球、12支铅笔分别可以叫做1打乒乓球和1打铅笔。

那么，采用多少微粒组成的集合体作为物质的量的单位呢？

科学上应用12g $^{12}_{6}C$ 所含的原子数作为衡量微粒的集体。12g $^{12}_{6}C$ 含有阿伏伽德罗①常数个碳原子。阿伏伽德罗常数（N_A）是由实验测定的，目前测得比较精确的量值是 $6.0221367×10^{23}mol^{-1}$。通常我们采用的是 $6.02×10^{23}$ 这个非常近似的数值。

---

① 阿伏伽德罗（Avogadro 1776～1856）意大利物理学家。

综上所述，我们把含有阿伏伽德罗常数个微粒的集合体作为物质的量（符号 n）的单位——摩尔（符号 mol），简称摩。

摩尔（mol）是表示物质的量的单位，每摩尔物质含有阿伏伽德罗常数个微粒。

1mol 的碳原子含有 $6.02×10^{23}$ 个碳原子；

1mol 的氢原子含有 $6.02×10^{23}$ 个氢原子；

1mol 的氧分子含有 $6.02×10^{23}$ 个氧分子。

因为每个氧分子中含有两个氧原子，所以 1mol 氧分子含有 $2×6.02×10^{23}$ 个氧原子。由此可知，仅仅指出"1mol 氧"而不说明是什么微粒，那是无法确定其含有的微粒数的。

同样，我们还可以说：

1mol 的水分子含有 $6.02×10^{23}$ 个水分子；

1mol 的二氧化碳分子含有 $6.02×10^{23}$ 个二氧化碳分子；

1mol 的氢离子含有 $6.02×10^{23}$ 个氢离子；

1mol 的氢氧根离子含有 $6.02×10^{23}$ 个氢氧根离子。

$6.02×10^{23}$ 个碳原子的集合体的质量是 12g，也就是说，1mol 碳原子的质量是 12g。

【思考】能否根据 1mol 碳原子的质量推算出 1mol 其他原子的质量呢？

我们已经知道，元素的相对原子质量是以 ^{12}C 的质量的 1/12 作为标准，其他元素原子的质量跟它相比较所得的比值，这也叫原子量。如氧的相对原子质量是 16，1个碳原子与 1 个氧原子的质量之比为 12∶16。1mol 碳原子和 1mol 氧原子所含的原子个数相同，都是 $6.02×10^{23}$ 个。1mol 碳原子的质量是 12g，那么 1mol 氧原子的质量就是 16g。同理可以推知，1mol 任何原子的质量就是以克为单位，数值上等于这种原子的相对原子质量。如：

钠的相对原子质量为 23，1mol 钠原子的质量是 23g；

铁的相对原子质量为 55.85，1mol 铁原子的质量是 55.85g。

我们既然可以推算 1mol 任何原子的质量，同样可以推知 1mol 任何物质的质量,就是以克为单位,数值上等于这种物质的式量。

氢气的式量是 2,1mol 氢气的质量是 2g;

氧气的式量是 32,1mol 氧气的质量是 32g;

水的式量是 18,1mol 水的质量是 18g;

氯化钠的式量是 58.5,1mol 氯化钠的质量是 58.5g;

氢氧化钠的式量是 40,1mol 氢氧化钠的质量是 40g。

由于电子的质量极小,原子失去或得到电子的质量可忽略不计,因此同样可以推知 1mol 离子的质量。

1mol H^+ 的质量是 1g;

1mol OH^- 的质量是 17g;

1mol Cl^- 的质量是 35.5g。

在化学方程式中,化学式前的系数可以表示反应物和生成物之间的原子、分子等微粒数的比值,这些比值也就是它们之间的物质的量之比。

$$Mg + 2HCl \longrightarrow MgCl_2 + H_2 \uparrow$$

微粒数　　1　　2　　　　1　　 1
物质的量　1mol　2mol　　1mol　1mol

物质的量含有微观的粒子数和宏观的质量的双重意义,它像一座桥梁把单个的、肉眼看不见的微粒跟可称量的物质联系起来了。

二、摩尔质量

1mol 物质的质量通常也叫做该物质的**摩尔质量**(符号 M),摩尔质量的单位是 g/mol。

氧气的摩尔质量是 32g/mol;

金属钠的摩尔质量是 23g/mol;

硫酸的摩尔质量是 98g/mol;

氢氧根离子的摩尔质量是 17g/mol;

结晶碳酸钠($Na_2CO_3 \cdot 10H_2O$)的式量是 286,它的摩尔质量就是 286g/mol。

物质的量、物质的质量和摩尔质量之间的关系,可以用下式表示:

$$\frac{物质的质量（g）}{摩尔质量（g/mol）}=物质的量（mol）$$

三者的关系如用量的符号来表示则为：

$$\frac{m（g）}{M（g/mol）}=n（mol）$$

三、有关物质的量的计算

【例题1】 0.5mol 的磷酸（H_3PO_4）中含氢原子、磷原子、氧原子各多少摩尔？

【解】 $n(H)=0.5mol×3=1.5mol$
　　　　$n(P)=0.5mol×1=0.5mol$
　　　　$n(O)=0.5mol×4=2mol$

答：0.5mol 的磷酸中含有 1.5mol 氢原子，0.5mol 磷原子和 2mol 氧原子。

【例题2】 求 19.6g 硫酸的物质的量。

【解】 H_2SO_4 的式量是 98，$M(H_2SO_4)=98g/mol$。

$$n(H_2SO_4)=\frac{19.6g}{98g/mol}=0.2mol$$

答：19.6g 硫酸相当于 0.2mol 硫酸。

【例题3】 3.5mol 氢氧化钠的质量是多少克？

【解】 NaOH 的式量是 40，$M(NaOH)=40g/mol$。

$m(NaOH)=3.5mol×40g/mol=140g$

答：3.5mol 氢氧化钠的质量是 140g。

【例题4】 45g 水里含有多少个水分子？其中包含有多少摩氢原子？多少摩氧原子？

【解】 $M(H_2O)=18g/mol$

$$n(H_2O)=\frac{45g}{18g/mol}=2.5mol$$

每摩尔水中含有阿伏伽德罗常数个水分子，2mol 氢原子和 1mol 氧原子。

∴ 45g 水的分子数 $=2.5mol×6.02×10^{23}mol^{-1}$
　　　　　　　　　$=1.505×10^{24}$

$n(H)=2.5mol×2=5mol$
$n(O)=2.5mol×1=2.5mol$

答：45g 水中含有 $1.505×10^{24}$ 个水分子，其中含 5mol 氢原子和 2.5mol 氧原子。

【例题 5】 加热 73.5g 的氯酸钾固体，完全分解后可得到氧气多少摩尔？

【解】 设可得到氧气 x mol。

M（$KClO_3$）$=122.5$g/mol

n（$KClO_3$）$=\dfrac{73.5\text{g}}{122.5\text{g/mol}}=0.6$mol

$$2KClO_3 \xrightarrow[\triangle]{MnO_2} 2KCl+3O_2\uparrow$$

  2mol   3mol

  0.6mol $x$mol

$\dfrac{2\text{mol}}{0.6\text{mol}}=\dfrac{3\text{mol}}{x}$

$x=0.6\times\dfrac{3}{2}=0.9$（mol）

答：可得到氧气 0.9mol。

习 题

1. 摩尔是表示_____的单位，每摩尔物质含有_____个微粒。阿伏伽德罗常数就是_____含有的原子数，通常采用的实验近似数值为_____。

2. 选择

(1) 0.5mol 氢气含有（ ）

① 0.5 个氢分子　② 1 个氢原子　③ 6.02×10^{23} 个氢原子　④ 3.01×10^{23} 个氢分子　⑤ 3.01×10^{23} 个氢原子

(2) "1mol 氧"这种说法表示（ ）

① 约含 6.02×10^{23} 个氧原子　② 约含 6.02×10^{23} 个氧分子　③ 氧的质量为 16g　④ 氧的质量为 32g　⑤ 无法确定

3. 求下列各物质的物质的量。

(1) 1kg 硫原子，0.5kg 铝原子，0.24kg 锌原子。

(2) 22g 二氧化碳，500g 氯化钠。

4. 0.5mol 硫酸的质量是____g，含有____mol 氢原子，____mol 氧原子，____mol 硫原子。

5. ____g 二氧化硫与 16g 三氧化硫所含的分子个数相等。____g 二氧化硫与 16g 三氧化硫所含的原子个数相等。

第二节 物质的量浓度

溶液的浓度是指一定量溶液中所含溶质的量的多少。如果用一定质量的溶液中所含溶质质量的百分含量来表示的浓度，则称为质量百分比浓度。法定计量单位中用质量分数来表示一定质量的溶液中所含溶质质量的多少。如 100g 食盐水溶液中含 5g 食盐，则此溶液的质量百分比浓度为 5%，溶质的质量分数是 0.05。

但是，我们在许多场合取用溶液时，一般不是去称它的质量，而是去量它的体积。同时物质发生反应时，反应物和生成物的物质的量之间有一定关系，因此，知道一定体积的溶液里含有溶质的物质的量，对生产和科学实验是非常重要和方便的。这种表示溶液中溶质含量的方法就是物质的量浓度。

一、物质的量浓度

以 1L（L 是法定单位，国际单位用 dm^3，以下同）溶液里所含溶质的物质的量来表示的溶液浓度叫**物质的量浓度**（符号为 c），单位是 mol/L。

物质的量浓度又可简称为浓度 (c)。

$$物质的量浓度(mol/L) = \frac{溶质的物质的量(mol)}{溶液的体积(L)}$$

用符号表示就是：

$$c(\text{mol/L}) = \frac{n(\text{mol})}{v(\text{L})}$$

1L 溶液中含有 1mol 的溶质，这种溶液的物质的量浓度是 1mol/L。如氯化钠的摩尔质量是 58.5g/mol，若把 58.5g 氯化钠溶于水配制成 1L 溶液，这种氯化钠溶液的物质的量浓度为 1mol/L。如果在 1L 溶液中含有 29.25g 氯化钠（0.5mol），则该溶液的浓度就是 0.5mol/L。

【讨论】

1. 将 342g 蔗糖（$C_{12}H_{22}O_{11}$）溶解在 1L 水中，得

到溶液的浓度是否是 1mol/L？

2. 在 1L 1mol/L 的蔗糖溶液中取出 10mL，取出溶液的浓度是多少？

二、有关物质的量浓度的计算

1. 物质的量浓度（c）、溶液的体积（v）和溶质的物质的量（n）之间的换算

【例题 1】 将 23.4g 氯化钠溶于水，配制成 200mL 的溶液，求溶液的浓度。

【解】 $M(NaCl) = 58.5 g/mol$

$$n(NaCl) = \frac{23.4g}{58.5g/mol} = 0.4mol$$

$$v[NaCl(aq)]^{①} = 200mL \times 10^{-3} L/mL$$
$$= 0.2L$$

$$c(NaCl) = \frac{0.4mol}{0.2L} = 2mol/L$$

答：这种溶液的浓度是 2mol/L。

【例题 2】 配制 500mL 0.1mol/L 的氢氧化钠溶液，需要氢氧化钠多少克？

【解】 $n(NaOH) = \dfrac{500mL \times 0.1mol}{1000mL} = 0.05mol$

$$M(NaOH) = 40g/mol$$

$$m(NaOH) = 0.05mol \times 40g/mol = 2g$$

答：配制这种溶液需要氢氧化钠 2g。

2. 质量百分比浓度与物质的量浓度换算

【例题 3】 求 37% 的盐酸（密度为 1.19g/cm³）的物质的量浓度。

【解 1】 设 37% 的盐酸质量为 100g。

$$m(HCl) = 100g \times 37\% = 37g$$

$$M(HCl) = 36.5 g/mol$$

$$n(HCl) = \frac{37g}{36.5g/mol} = 1.01mol$$

$$v(HCl) = \frac{100g}{1.19g/cm^3} = 84cm^3$$

$$84cm^3 = 84mL = 0.084L$$

---

① （aq）表示某物质的水溶液。

$$c(\text{HCl}) = \frac{1.01\text{mol}}{0.084\text{L}} = 12\text{mol/L}$$

【解2】 设37%盐酸的体积为1L。(即1000cm³)

$$m(\text{HCl}) = 1000\text{cm}^3 \times 1.19\text{g/cm}^3 \times 37\%$$
$$= 440.3\text{g}$$
$$M(\text{HCl}) = 36.5\text{g/mol}$$
$$n(\text{HCl}) = \frac{440.3\text{g}}{36.5\text{g/mol}} = 12\text{mol}$$
$$c(\text{HCl}) = \frac{12\text{mol}}{1\text{L}} = 12\text{mol/L}$$

答：37%的盐酸溶液的浓度是12mol/L。

【讨论】 如何将物质的量浓度换算成质量百分比浓度？

3. 化学反应中有关物质的量浓度的计算

【例题4】 中和50mL 0.2mol/L的氢氧化钠溶液，需要1mol/L的硫酸溶液多少毫升？

【解】 $n(\text{NaOH}) = \dfrac{50\text{mL} \times 0.2\text{mol}}{1000\text{mL}} = 0.01\text{mol}$

$$2\text{NaOH} + \text{H}_2\text{SO}_4 \longrightarrow \text{Na}_2\text{SO}_4 + 2\text{H}_2\text{O}$$
$$\quad 2\text{mol} \qquad 1\text{mol}$$

∴ $n(\text{H}_2\text{SO}_4) = 0.01\text{mol} \times \dfrac{1}{2} = 0.005\text{mol}$

$$v(\text{H}_2\text{SO}_4) = \frac{0.005\text{mol}}{1\text{mol/L}} \times 1000\text{mL/L}$$
$$= 5\text{mL}$$

答：该中和反应需要1mol/L的硫酸溶液5mL。

4. 用浓溶液来配制所需要的稀溶液

当用水稀释浓溶液时，溶液的体积发生变化，但溶质的物质的量不变。

n(浓溶液中溶质) $= n'$(稀溶液中溶质)

c(浓)v(浓) $= c'$(稀)v'(稀)

【例题5】 怎样用37%密度为1.19g/cm³的盐酸来配制250mL 1mol/L的稀盐酸？

【解】 设需要37%的浓盐酸 x mL。

$$n(\text{浓 HCl}) = \frac{1000 \times 1.19 \times 37\%}{36.5} = 12(\text{mol})$$

$$c(\text{浓 HCl}) = \frac{12\text{mol}}{1\text{L}} = 12\text{mol/L}$$

∵ $c(浓)v(浓)=c'(稀)v'(稀)$

∴ $12x=1×250$

$x=20.8(\text{mL})$

还需加水至 250mL。

答：需要 37% 的盐酸 20.8mL。

习 题

1. 下列说法是否正确？说明理由。

(1) 将 25g 氢氧化钠固体溶于 100mL 水中，得到溶液的浓度是 0.625mol/L。

(2) 10mL 1mol/L 的硫酸溶液比 100mL 1mol/L 的硫酸溶液浓度小。

(3) 从 100mL 0.5mol/L 的盐酸溶液中取出 10mL，取出的盐酸溶液的浓度是 0.05mol/L。

(4) 在 100mL 0.5mol/L 的盐酸溶液中注入蒸馏水至 200mL，则稀释后溶液的浓度变为 0.25mol/L。

2. 将 4g 氢氧化钠溶于水配制成 250mL 的溶液，所得溶液的物质的量浓度是多少？

3. 测得 10mL 氯化钠溶液的质量为 12g，将其蒸干后得食盐 3.173g，计算此溶液的物质的量浓度和质量百分比浓度。

4. 市售浓硫酸的密度为 1.84g/cm^3，它的质量百分比浓度为 98%，它的物质的量浓度是多少？

5. 在 30g 20% 的氢氧化钠溶液里加入 30mL 未知浓度的盐酸恰好中和，求该盐酸的物质的量浓度。

6. 实验室用 50% 的氢氧化钠溶液（密度为 1.525g/cm^3）来配制 1mol/L 的稀氢氧化钠溶液 200mL，需 50% 的浓溶液多少毫升？

本章小结

一、物质的量

表示物质的量的单位是摩尔，每摩尔物质含有阿伏伽德罗常数个微粒。

1mol 物质的质量叫摩尔质量，摩尔质量在数值上等于该物质的式量，单位 g/mol。

$$物质的量(\text{mol})=\frac{物质的质量(\text{g})}{物质的摩尔质量(\text{g/mol})}$$

二、物质的量浓度

以 1L 溶液中所含溶质的物质的量来表示的溶液浓度叫物质的量浓度。

$$物质的量浓度(mol/L) = \frac{溶质的物质的量(mol)}{溶液的体积(L)}$$

三、本章学习过的各种物理量及其单位的名称符号

量的名称	量的符号	单位名称	单位符号
质量	m	千克	kg
体积	v	升	L
物质的量	n	摩[尔]	mol
摩尔质量	M	克/摩尔	g/mol
物质的量浓度	c	摩尔/升	mol/L

第三章 化学平衡和电离平衡

第一节 可逆反应和化学平衡

一、可逆反应

在化学反应中，若在同一条件下，能向生成物方向（正反应方向）进行，同时又能向反应物方向（逆反应方向）进行，则这样的反应叫做**可逆反应**。

例如，二氧化硫转化为三氧化硫是可逆反应：

$$2SO_2 + O_2 \xrightleftharpoons{\triangle} 2SO_3$$

通常用"$\rightleftharpoons$"表示可逆反应。有的反应几乎只是向一个方向进行的，这类反应可视为不可逆反应。例如，

$$2KClO_3 \xrightarrow[\triangle]{MnO_2} 2KCl + 3O_2\uparrow$$

二、化学反应速度

1. 化学反应速度

化学反应速度是指反应进行的快慢。对于某些反应，通常可以通过观察在同一单位时间内反应物消失或生成物出现的快慢，作出对这个反应的速度的定性判断。

例如，镁条和铁片放入相同浓度的盐酸中，两者都会逐渐消失，同时都有氢气放出，但镁条比铁片消失快，放出氢气也快，显然前者反应的速度比后者要快。

2. 影响反应速度的因素

在相同外界条件下，不同的化学反应具有不同的反应速度，决定化学反应速度的主要因素是物质的内因，即参加反应的物质的性质。

外界条件对化学反应速度有一定影响，对于同一个化学反应，外界条件（如浓度、压强、温度、催化剂

等）不同时，反应速度也不相同。

　　硫在空气中燃烧发出微弱的淡蓝色火焰，而硫在纯氧中燃烧，则发出明亮的蓝紫色火焰。这是因为纯氧中氧气的浓度比空气中大得多，所以反应进行得更快，更剧烈。同样，在溶液中进行的反应与溶液的浓度有密切关系。大量实验证明，当其他条件不变时，增加反应物的浓度，可以增大正反应的速度。

　　我们知道，许多反应需要加热才能进行。温度升高，对于可逆反应来说，正、逆反应速度都会加快。经过多次实验，测得温度每升高10℃，反应速度通常增大到原来的2～4倍。

　　至于压强和催化剂及固体反应物表面积的大小等也对反应速度产生影响，在这里就不一一列举了。

三、化学平衡

　　我们已经知道，化学反应速度是研究反应进行的快慢的；化学平衡则是研究可逆反应进行的方向和程度的。例如，

$$2SO_2 + O_2 \xrightleftharpoons[\triangle]{催化剂} 2SO_3$$

　　在500℃，压强为1.01×10^5Pa时，如果把2体积二氧化硫和1体积氧气的混合物，通入一个装有催化剂的密闭容器里，结果能得到含91％（体积组成）三氧化硫的混合气体。这时候，容器里反应物SO_2、O_2和生成物SO_3在混合物中的浓度就不再发生变化。

　　当反应开始的时候，SO_2和O_2的浓度最大，SO_3的浓度为零，因而正反应速度最大，逆反应速度为零。以后，随着反应的进行，SO_2和O_2的浓度因消耗而逐渐减小，正反应的速度就逐渐减小；SO_3的浓度逐渐增大，逆反应的速度也就逐渐增大。

　　如果外界条件不发生变化，可逆反应进行到一定程度时，正反应和逆反应的速度相等，反应混合物中各组成成分的浓度或百分含量保持不变，这种状态叫做**化学平衡状态**。

　　当反应达到平衡的时候，正反应和逆反应仍在继续

进行，只是由于在同一瞬间反应物变为生成物的分子数和生成物变为反应物的分子数相等，也就是正、逆反应速度相等，所以反应混合物中各成分的百分含量保持不变。因此化学平衡是一种动态平衡。

四、浓度对化学平衡的影响

必须指出的是，化学平衡只是在一定外界条件下存在，平衡状态是相对的。外界条件发生变化时，对正、逆反应的速度产生不同的影响，因而平衡被破坏，并在新的条件下达到新的平衡。这一过程称为**化学平衡的移动**。

下面讨论浓度改变对化学平衡的影响。

氯化铁跟硫氰化钾（KSCN）能发生反应，生成红色的硫氰化铁和氯化钾。

【实验3—1】 在一个 800mL 烧杯里，混合 300mL 0.02mol/L 氯化铁溶液和 300mL 0.02mol/L 硫氰化钾溶液，观察现象。

这个可逆反应会建立如下的平衡：

$$FeCl_3 + 3KSCN \rightleftharpoons 3KCl + Fe(SCN)_3$$

如果我们在这个平衡混合物中加入浓的三氯化铁溶液或浓的硫氰化钾溶液，即增加反应物的浓度，化学平衡会发生怎样的变化呢？

【实验3—2】 把上面实验所得的红色溶液各分 200mL 到三个演示杯里，再向第一杯里加入 50mL/mol/L 氯化铁溶液，在第二杯里加入 50mL 1mol/L 硫氰化钾溶液，第三杯里加入 50mL 蒸馏水。观察前两个演示杯里溶液颜色的变化，并跟第三杯相比较，如图 3—1 所示。

从上面实验可知，在原平衡的混合物里，增大反应物的浓度，溶液的颜色都变深。这表明在反应达到平衡后，增大反应物的浓度，使正反应的速度大于逆反应速度，化学平衡向着正反应的方向移动。

随着平衡的移动，更多的反应物转变为生成物。而生成物浓度的增大，使逆反应的速度也随之相应增大，到一定时刻，正反应速度与逆反应速度再次相等，则在新的条件下建立了新的平衡，所以溶液颜色变深。

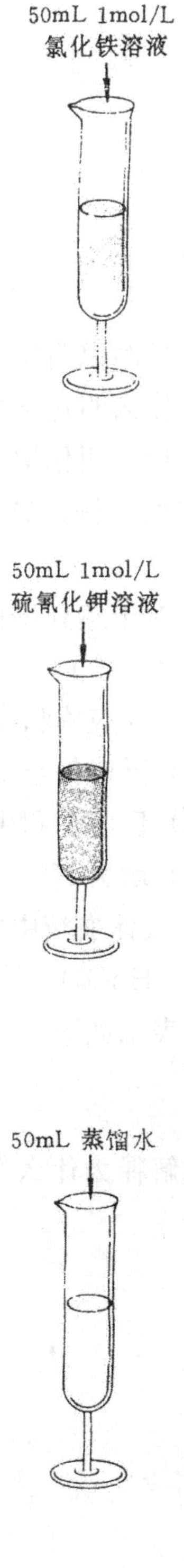

实验证明，在其他条件不变的情况下，增大反应物

图3—1 浓度对化学平衡的影响

的浓度，或减小生成物的浓度，都可以使平衡向着正反应的方向移动；增大生成物的浓度或减小反应物的浓度，都可以使平衡向着逆反应的方向移动。

根据这一原理，生产上往往采用某种价廉易得原料过量投入反应的方法，使另一种价格相对较高的原料得到充分利用，以达到增加产量和降低成本的目的。

习　题

1. 举例说明什么叫可逆反应。

2. 什么叫化学平衡？为什么说化学平衡是一种动态平衡？

3. 什么叫化学平衡的移动？指出怎样改变反应物的浓度，可使下列反应的平衡向右移动？（固态碳的浓度不变化）

$$CO_2(g) + C(s) \rightleftharpoons 2CO(g)$$

4. 对于达到平衡状态的可逆反应 $N_2(g) + 3H_2(g) \rightleftharpoons 2NH_3(g)$，下列叙述中正确的是（　　）

（1）反应物和生成物的浓度相等；

（2）反应停止了；

（3）反应物和生成物的浓度不再发生变化；

（4）增大 NH_3 的浓度平衡会向右移动。

5. 人体血液中的血红蛋白（Hb）具有输氧功能，它能和肺部的氧结合成氧合血红蛋白（HbO_2），随血液流经全身组织，将 O_2 放出，以供全身组织利用。其反应式可简单表示如下：

$$Hb + O_2 \underset{组织}{\overset{肺}{\rightleftharpoons}} HbO_2$$

试解释为什么临床上用输氧抢救危重病人？

第二节 溶液中的离子反应

一、强电解质和弱电解质

在初中化学课本里，我们已经学过，物质溶解于水时，离解成能自由移动的离子的过程，叫做**电离**。酸、碱和盐等化合物在水溶液中均发生电离，所以都能导电。我们把这种溶于水后能导电的化合物称为**电解质**，而把溶于水后不能导电的化合物（如蔗糖、酒精等）称为**非电解质**。

电解质溶液虽然都能导电，但即使在同样条件下，相同体积、相同浓度而不同种类的酸、碱和盐的溶液，却可以通过实验证明其导电能力是不相同的。现以酸和碱为例加以说明。

我们知道硫酸和盐酸都是强酸，而碳酸和醋酸是弱酸。事实上，不仅酸有强酸和弱酸，碱也有强碱和弱碱。那么强酸、强碱和弱酸、弱碱究竟有什么区别呢？

酸、碱和盐都是电解质，它们的水溶液都能导电。在同样条件下，相同体积、相同浓度的强酸、强碱和弱酸、弱碱溶液，它们的导电能力是不是一样呢？

【实验3—3】 按图3—2把电源、电流计连接好，四个烧杯中分别盛有等体积等浓度的盐酸、醋酸、氨水及氢氧化钠溶液，每个烧杯中分别插有两根石墨电极。实验时，分别把四个烧杯中的电极串接在电源、电流计的电路中，观察电流计的指针偏转大小。

实验结果表明，连接插入醋酸、氨水的电极时，电流表指针偏转较盐酸、氢氧化钠溶液要小。可见，体积和浓度相同的强酸、强碱和弱酸、弱碱的水溶液，在同样条件下的导电能力是不相同的。盐酸和氢氧化钠溶液的导电能力比氨水和醋酸溶液强。

电解质溶液所以能够导电，是由于溶液里存在能够自由移动的离子。溶液导电性的强弱跟单位体积溶液里能自由移动的离子的多少有关。也就是说，在相同体积

100mL 0.1mol/L 醋酸溶液　　100mL 0.1mol/L 盐酸　　100mL 0.1mol/L 氢氧化钠溶液　　100mL 0.1mol/L 氨水

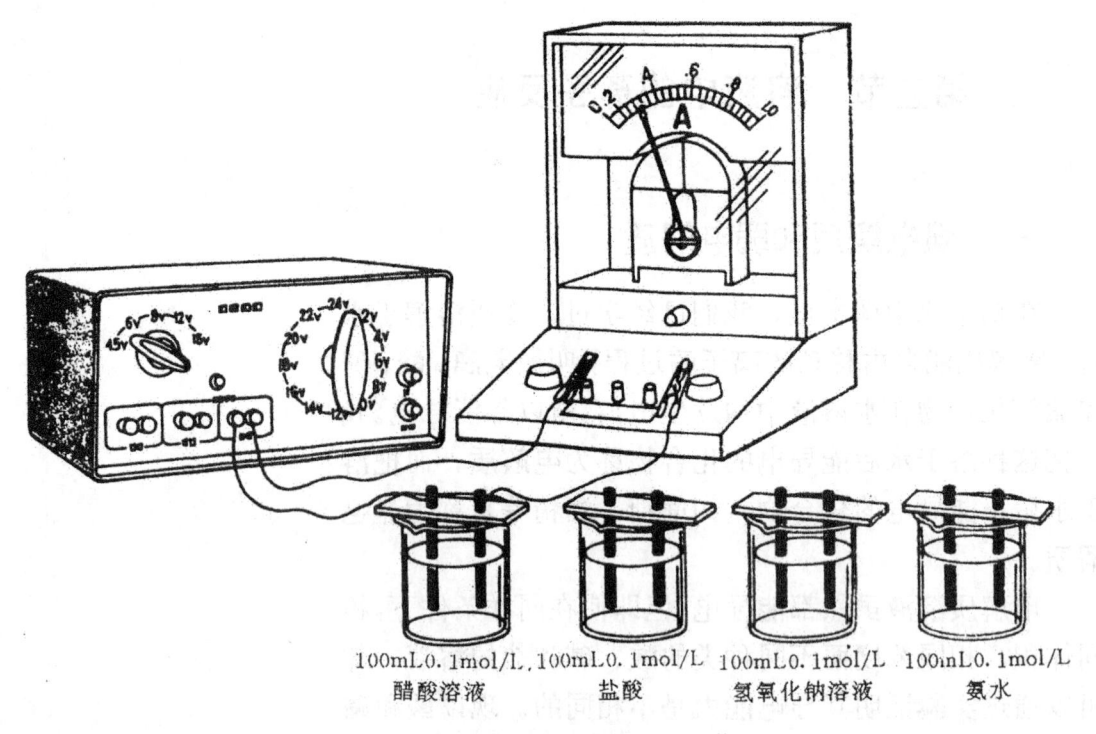

图 3—2　电解质溶液导电能力的比较

和浓度的溶液里，自由移动的离子数目越多，溶液的导电性越强，反之则导电性就越弱。由此推知，电解质在溶液里电离的程度是不一样的。强酸和强碱在水溶液中能完全电离成自由移动的离子，而弱酸和弱碱在水溶液中只有一部分分子电离成为自由移动的离子，大部分仍以分子存在。例如，在25℃时，0.1mol/L 醋酸溶液中每1000个醋酸分子，大约只有13个分子电离。可见，同浓度的强酸、强碱和弱酸、弱碱的水溶液相比，前者自由移动的离子浓度大，所以它们的导电能力也强。

我们把在水溶液里全部电离为离子的电解质，称为**强电解质**；在水溶液里只有部分电离为离子的电解质，称为**弱电解质**。

强酸、强碱和大多数盐都是强电解质。某些强电解质的电离方程式如下：

$$HCl \longrightarrow H^+ + Cl^-$$

$$H_2SO_4 \longrightarrow 2H^+ + SO_4^{2-}$$

$$NaOH \longrightarrow Na^+ + OH^-$$

$$Na_2SO_4 \longrightarrow 2Na^+ + SO_4^{2-}$$

二、弱电解质的电离平衡

在弱电解质的溶液中，不仅存在弱电解质分子电离成离子的过程，而且也存在着离子结合成弱电解质分子的过程。显然，弱电解质的电离是个可逆过程。所以，这两个过程在一定条件（如温度、浓度）下，当分子电离成离子的速度和离子结合成分子的速度相等，电离过程就达到了平衡状态，我们称它为**电离平衡**。

弱电解质的电离方程式，用可逆符号表示。例如醋酸（CH_3COOH）和氨水（$NH_3 \cdot H_2O$）的电离方程式可表示为：

$$CH_3COOH \rightleftharpoons H^+ + CH_2COO^-$$

$$NH_3 \cdot H_2O \rightleftharpoons NH_4^+ + OH^-$$

必须指出，水是极弱的电解质。

$$H_2O \rightleftharpoons H^+ + OH^-$$

三、溶液中的离子反应

酸、碱和盐在溶液中发生的复分解反应，实质是离子间的反应。如硫酸和氢氧化钠发生的中和反应。

$$2NaOH + H_2SO_4 \longrightarrow Na_2SO_4 + 2H_2O$$

硫酸和氢氧化钠都是强电解质，在水中完全电离。

反应前，电解质溶液中存在着 H^+、Na^+、SO_4^{2-}、OH^- 四种离子。反应中 H^+ 和 OH^- 结合生成弱电解质 H_2O，而 SO_4^{2-}、Na^+ 并没有参加反应。这个反应的实质是：

$$H^+ + OH^- \longrightarrow H_2O$$

同理，可以分析下列反应。

$$H_2SO_4 + BaCl_2 \longrightarrow BaSO_4 \downarrow + 2HCl$$

溶液中 Ba^{2+} 和 SO_4^{2-} 生成难溶性的 $BaSO_4$ 沉淀，而 H^+、Cl^- 没有参加反应。反应的实质是：

$$SO_4^{2-} + Ba^{2+} \longrightarrow BaSO_4 \downarrow$$

又如 $Na_2S + H_2SO_4 \longrightarrow H_2S \uparrow + Na_2SO_4$

由于溶液中的 S^{2-} 和 H^+ 生成挥发性的弱酸（H_2S），硫化氢气体从溶液中逸出，Na^+ 和 SO_4^{2-} 没有参加反应而留在溶液中，反应的实质是：

$$S^{2-}+2H^+\longrightarrow H_2S\uparrow$$

这种用实际参加反应的离子符号来表示反应的式子叫**离子方程式**。

离子方程式跟一般化学方程式不同。它不仅表示特定物质间的某个反应，而且表示了所有同一类型的离子反应。例如，

$$SO_4^{2-}+Ba^{2+}\longrightarrow BaSO_4\downarrow$$

不仅能表示 Na_2SO_4 和 $BaCl_2$ 反应的实质，而且表示了任何可溶性钡盐跟硫酸或可溶性硫酸盐之间反应的实质。

怎样书写离子方程式呢？下面以硫酸钠溶液和氯化钡溶液反应为例，分析离子方程式书写过程。

（1）写出反应的化学方程式：

$$Na_2SO_4+BaCl_2\longrightarrow BaSO_4\downarrow+2NaCl$$

（2）把易溶于水的强电解质写成离子形式，难溶性物质、气体及弱电解质仍写成化学式：

$$2Na^++SO_4^{2-}+Ba^{2+}+2Cl^-\longrightarrow BaSO_4\downarrow+2Na^++2Cl^-$$

（3）删去方程式两边不发生反应的离子，得到离子方程式。

$$Ba^{2+}+SO_4^{2-}\longrightarrow BaSO_4\downarrow$$

（4）检查离子方程式两边各元素的原子个数和电荷数是否相等。

综上所述，凡是能产生难溶性物质、气体或弱电解质（例如 H_2O），离子反应就能发生。硝酸钠溶液和氯化钡溶液混合，不能产生难溶性物质、气体或弱电解质，溶液中仍存在着 Na^+、Ba^{2+}、Cl^- 和 NO_3^- 四种离子，实际上没有发生离子反应。

电解质溶液中发生的置换反应也可以用离子方程式表示。例如，

$$Zn+H_2SO_4(稀)\longrightarrow ZnSO_4+H_2\uparrow$$

离子方程式：$Zn+2H^+\longrightarrow Zn^{2+}+H_2\uparrow$

又如，$Cl_2+2KBr\longrightarrow 2KCl+Br_2$

离子方程式：$Cl_2+2Br^-\longrightarrow 2Cl^-+Br_2$

【练习】下列各组物质能否发生反应？写出反应的离子方程式。

1. 硫酸铜溶液和氢氧化钠溶液

2. 碳酸钠溶液和盐酸

3. 氢氧化钾溶液和硝酸

4. 硝酸钠溶液和氯化钾溶液

5. 铁粉和盐酸

习　　题

1. 填空

(1) 电解质在溶液里所参加的反应实质上是_____，这样的反应的基本类型属于_____。

(2) 用实际参加化学反应的_____来表示离子反应的式子叫做_____。它与化学方程式不同，不仅能表示_____，而且还能表示_____。

(3) 我们把_____称为强电解质；_____称为弱电解质。_____都是强电解质。

(4) 在一定条件下，当弱电解质溶液中分子_____和_____相等，电离过程就达到_____，我们称它为_____。

2. 下列说法是否正确？不正确的部分请加以纠正。

(1) 某物质的水溶液能导电，该物质一定是电解质。

(2) 电解质溶液通电后生成自由移动的离子。

(3) 氯化钠晶体不导电，所以氯化钠不是电解质。

(4) 氯化氢的分子里不存在离子，但氯化氢的水溶液却能够导电，而液态纯氯化氢不能导电。

3. 下列物质里哪些能够导电？哪些是强电解质，哪些是弱电解质？写出电离方程式。

(1) 氢氧化钾水溶液　　　　(2) 氯化钾晶体

(3) 熔融的氯化钠　　　　　(4) 醋酸的水溶液

(5) 盐酸　　　　　　　　　(6) 氨水

4. 写出能实现下列变化的相应的化学方程式。

(1) $Cu^{2+} + 2OH^- \longrightarrow Cu(OH)_2 \downarrow$

(2) $H^+ + OH^- \longrightarrow H_2O$

(3) $Ba^{2+} + SO_4^{2-} \longrightarrow BaSO_4 \downarrow$

(4) $2H^+ + CO_3^{2-} \longrightarrow H_2O + CO_2 \uparrow$

(5) $Cu^{2+} + Fe \longrightarrow Fe^{2+} + Cu$

第三节 溶液的酸碱性和 pH 值

一、水的电离

溶液的酸碱性跟水的电离有着密切的关系。根据精确的实验证明，由于水分子的相互作用，水能微弱地电离出水合氢离子（H_3O^+）和氢氧根离子（OH^-），如图 3—3 所示。水是极弱的电解质，常温下大约每 5 亿个水分子中有 1 个水分子是电离的。

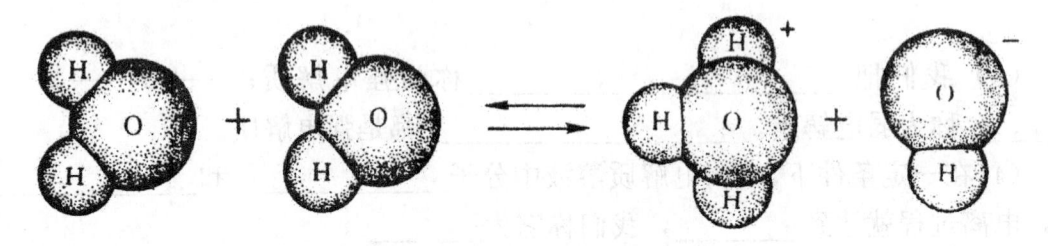

图 3—3 水分子电离过程示意图

水的电离可以写成：

$$H_2O + H_2O \rightleftharpoons H_3O^+ + OH^-$$

简写为：$H_2O \longrightarrow H^+ + OH^-$

从纯水的导电实验测得，在 24℃时，纯水中氢离子和氢氧根离子的浓度都等于 1.0×10^{-7} mol/L。即

$$c(H^+) = 1.0 \times 10^{-7} \text{mol/L}$$

$$c(OH^-) = 1.0 \times 10^{-7} \text{mol/L}$$

在一定温度下，纯水中氢离子浓度和氢氧根离子浓度的乘积是一个常数，我们把这个常数称为**水的离子积**。通常用 K_w 表示。24℃时，$K_w = c(H^+) \cdot c(OH^-) = 1.0 \times 10^{-14}$

二、溶液的酸碱性和 pH 值

实验还进一步证明，在一定温度下，不仅纯水中的 $c(H^+)$ 和 $c(OH^-)$ 乘积是一个常数，而且在酸性（或碱性）的稀溶液里也是这样。在中性溶液里，$c(H^+)$ 和 $c(OH^-)$

相等；在酸性溶液中并不是没有氢氧根离子，只是$c(H^+)$大于$c(OH^-)$；在碱性溶液中也不是没有氢离子，只是$c(H^+)$小于$c(OH^-)$。常温下溶液的酸碱性跟$c(H^+)$和$c(OH^-)$的关系可以表示如下：

中性溶液 $c(H^+)=c(OH^-)=1.0\times10^{-7}$ mol/L

酸性溶液 $c(H^+)>c(OH^-)$，$c(H^+)>1.0\times10^{-7}$ mol/L

碱性溶液 $c(H^+)<c(OH^-)$，$c(H^+)<1.0\times10^{-7}$ mol/L

$c(H^+)$越大，溶液的酸性越强；$c(H^+)$越小，溶液的酸性越弱。

由于常温时，在酸性或碱性的稀溶液里，$c(H^+)$和$c(OH^-)$的乘积都等于1.0×10^{-14}。如果知道了溶液中的$c(H^+)$，就可以计算出溶液中的$c(OH^-)$。

【例题1】已知某溶液中，$c(H^+)=1.0\times10^{-2}$ mol/L，求溶液中的$c(OH^-)$。

【解】$c(H^+)=1.0\times10^{-2}$ mol/L

则 $c(OH^-)=\dfrac{1.0\times10^{-14}}{c(H^+)}$

$=\dfrac{1.0\times10^{-14}}{1.0\times10^{-2}}$

$=1.0\times10^{-12}$ (mol/L)

答：溶液中$c(OH^-)$为1.0×10^{-12} mol/L

对于一些氢离子浓度很小的溶液，如$c(H^+)=1.0\times10^{-5}$ mol/L 或 $c(H^+)=1.0\times10^{-9}$ mol/L，我们用这样的数值来表示溶液的酸性或碱性的强弱，就很不方便。化学上常用[H$^+$]的负对数来表示溶液酸碱性的强弱程度，即溶液的酸碱度，叫做**溶液的 pH 值**。

$$pH=-\lg[H^+]$$

这里用[H$^+$]来表示$c(H^+)$的数值。例如，纯水中$c(H^+)=1.0\times10^{-7}$ mol/L，它的 pH 值是：

$pH=-\lg[H^+]=-\lg 1.0\times10^{-7}=-(-7)=7$

又如，$c(H^+)=1.0\times10^{-4}$ mol/L 的酸性溶液，它的 pH 值是：

$pH=-\lg[H^+]=-\lg 1.0\times10^{-4}=-(-4)=4$

再如 $c(H^+)=1.0\times10^{-10}$ mol/L 的碱性溶液,它的 pH 值是:

$$pH=-lg[H^+]=-lg1.0\times10^{-10}=-(-10)=10$$

$c(H^+)=1.0$ mol/L 的酸性溶液,它的 pH 值是:

$$pH=-lg[H^+]=-lg1.0=0$$

如果知道了某种酸或碱溶液的浓度,就可以计算这种溶液的 pH 值。

【例题2】计算 0.1mol/L 盐酸溶液的 pH 值。

【解】∵ $HCl \longrightarrow H^+ + Cl^-$

∴ $c(HCl)=c(H^+)=0.1$ mol/L

$[H^+]=0.1=1.0\times10^{-1}$

$pH=-lg[H^+]=-lg1.0\times10^{-1}=-(-1)=1$

答:0.1mol/L 盐酸溶液的 pH 值是1。

【例题3】计算 0.005mol/L 氢氧化钡溶液的 pH 值。

【解】∵ $Ba(OH)_2 \longrightarrow Ba^{2+} + 2OH^-$

∴ $c(OH^-)=2\times0.005$ mol/L $=0.01$ mol/L

$$c(H^+)=\frac{1.0\times10^{-14}}{c(OH^-)}$$
$$=\frac{1.0\times10^{-14}}{1.0\times10^{-2}}$$
$$=1.0\times10^{-12}(mol/L)$$

$[H^+]=1.0\times10^{-12}$

$pH=-lg[H^+]=-lg1.0\times10^{-12}=12$

答:0.005mol/L 氢氧化钡溶液的 pH 值是12。

pH 值是用来表示溶液中氢离子浓度的一种简便方法。在中性溶液里 pH 值等于7,酸性溶液里 pH 值小于7,碱性溶液里 pH 值大于7。溶液的酸性越强,pH 值越小;溶液的碱性越强,pH 值越大。所以,可以用 pH 值表示溶液酸碱性的强弱,如图3—4所示。不过,当溶液里氢离子浓度或氢氧根离子浓度大于1mol/L 时,用 pH 值来表示溶液的酸碱度就不简便,这时可以直接用氢离子浓度或氢氧根离子浓度来表示。例如,当 $c(H^+)$ 为 2mol/L 时,它的溶液的 pH 值为-0.3;当 $c(H^+)$ 为 6mol/L 时,pH 值为-0.78。

【练习】填空:

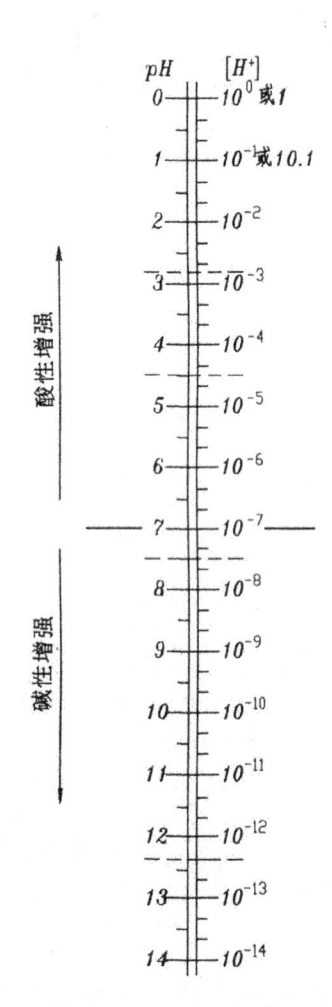

图3—4 $c(H^+)$ 和 pH 值的对照关系的示意图

溶液	$c(H^+)$mol/L	$c(OH^-)$mol/L	pH 值	溶液的酸碱性
1	1.0×10^{-2}			
2		1.0×10^{-5}		

  pH 值的测定和控制在工农业生产、科学研究和医疗卫生中有重要的意义。罐头食品加工时，常加入有机酸或无机酸，以控制食品的 pH 值，防止微生物繁殖。国家对各种水质制定了水质标准，其中规定了各种水质允许的 pH 值。例如，工业废水排放所允许的 pH 值是 6~9。药物的稳定性和疗效跟 pH 值也有密切的关系。红霉素在 pH 值<5 时不稳定，当 pH 值下降到 4.0 时，药效下降 50%。植物在适宜 pH 值的土壤中生长得最好，如草莓生长适宜的 pH 值是 5~6。

  测定溶液的 pH 值比较简便的方法是用 pH 试纸，这种试纸是由多种指示剂的混合溶液浸制而成，在不同酸碱度的溶液里，显示不同的颜色。测定时，把待测溶液滴在 pH 试纸上，然后把试纸显示的颜色跟标准比色卡对照，便可知道溶液的 pH 值。要精确测定溶液的 pH 值，可使用酸度计。

【阅读材料】

人体的酸碱平衡

  人体内的各种体液都具有一定的酸碱性，这是维持正常生理活动的重要条件之一。体内酸性物质主要来源于糖、脂类、蛋白质及核酸的代谢产物。体内的碱性物质主要来自蔬菜、水果和碱性药物。机体通过一系列的调节作用将多余的酸性或碱性物质排出体外，使体液 pH 值维持在一定范围内，达到酸碱平衡。

  各部分体液的 pH 值略有差异，正常情况下，血浆的 pH 值为 7.35~7.45 之间。由于血浆与其他各部分体液相互沟通，所以血浆的 pH 值可以间接反映其他各部分体液的酸碱平衡状态。当机体发生某些疾病，代谢发生障碍,体内聚积的酸或碱过多,血浆的 pH 值就会发生变化。当这种变化超越血浆 pH 值的正常范围,将引起酸中毒或碱中毒。

习 题

1. 下列说法是否正确?为什么?
(1) 酸性溶液里没有 OH^-,碱性溶液里没有 H^+。
(2) 在酸性溶液中,$c(H^+)$越大,酸性越强,pH 值也越大。
(3) pH=0 的溶液呈中性。
(4) pH 值增大一个单位,$c(H^+)$缩小到十分之一。

2. 计算下列溶液中的 $c(H^+)$和 $c(OH^-)$。
(1) 0.001mol/L 的 HCl 溶液　(2) 0.1mol/L 的 NaOH 溶液

3. 计算下列溶液的 pH 值
(1) $c(H^+)=1.0\times10^{-5}$mol/L　(2) $c(OH^-)=1.0\times10^{-9}$mol/L　(3) 0.01mol/L 的 HCl 溶液　(4) 0.001mol/L 的 NaOH 溶液

4. 有 A、B、C 三种溶液,其中 A 的 pH 值为 4;B 中 $c(H^+)=1.0\times10^{-6}$mol/L;C 中的 $c(OH^-)=1.0\times10^{-11}$mol/L。问哪种溶液酸性最强?

5. 填写下表中的空格:

溶　质	溶液的浓度 $c/mol\cdot L^{-1}$	溶液的体积 v/mL	溶质的物质的量 n/mol	溶质的质量 m/g
HCl	0.1	100		
H_2SO_4		200	0.06	
NaOH	0.1			0.4
KOH	0.4		0.1	

第四节　盐类的水解

酸的水溶液呈酸性,碱的水溶液呈碱性。盐的水溶液是否呈酸性或碱性呢?

【实验 3—4】 向盛有少量碳酸钠、氯化铵、氯化钠晶体的三个试管里分别加入蒸馏水,振荡试管使之溶解,然后用 pH 试纸分别检测溶液的酸碱性。

实验结果表明，氯化钠溶液呈中性，碳酸钠溶液呈碱性，氯化铵溶液呈酸性。由此可见，某些盐溶液也呈现酸性或碱性。那么，盐溶液呈现的酸、碱性是否存在一定的规律性呢？

【实验3—5】 按照实验3—4同样的方法，检测醋酸钠（CH_3COONa）、硫酸铝、氯化铜、硝酸钾溶液的酸碱性。

实验得出，醋酸钠溶液呈碱性，硫酸铝、氯化铜溶液呈酸性，硝酸钾溶液呈中性。

【讨论】根据实验结果，分析盐溶液的酸碱性跟盐的组成有怎样的关系。

我们知道，酸与碱能发生中和反应，生成盐和水。盐溶液的酸碱性跟生成这种盐的酸和碱的强弱有着密切的关系。氯化钠、硝酸钾是由强酸跟强碱所生成的盐，它们的水溶液呈中性；氯化铵、硫酸铝、氯化铜是由强酸跟弱碱所生成的盐，溶液呈酸性；醋酸钠、碳酸钠是由强碱跟弱酸所生成的盐，溶液呈碱性。

为什么某些盐溶液呈现一定的酸碱性呢？我们以醋酸钠为例来分析它的水溶液呈碱性的原因。醋酸钠属盐，是强电解质，它在水中完全电离。

$$CH_3COONa \longrightarrow CH_3COO^- + Na^+$$

水是极弱的电解质，它微弱地电离，产生等量的氢离子和氢氧根离子，即 $c(H^+) = c(OH^-)$。

$$H_2O \rightleftharpoons H^+ + OH^-$$

由于溶液里醋酸钠电离出的 CH_3COO^- 跟水电离出的 H^+ 能结合生成 CH_3COOH 分子，这是难电离的弱电解质，消耗了溶液中的 H^+，从而破坏了水的电离平衡，改变了溶液里氢离子和氢氧根离子的相对浓度，使得 $c(OH^-) > c(H^+)$，所以醋酸钠溶液呈碱性。

这种在溶液中盐的离子跟水电离出的 H^+ 或 OH^- 结合生成弱电解质的反应，叫做**盐类的水解**。

用同样的分析方法，我们可以得出氯化铵等由强酸和弱碱所生成的盐，水解后溶液呈酸性。而氯化钠等由强酸和强碱所生成的盐不发生水解，溶液呈中性。弱酸和弱碱所生成的盐,在水溶液里发生强烈水解,水解的情况比较复杂,这里不作研究。盐类水解的规律如表3—1所示。

表3—1 盐类水解规律

盐的组成	溶液的酸碱性	水解情况
强酸弱碱盐	酸性	水解
强碱弱酸盐	碱性	水解
强酸强碱盐	中性	不发生水解

【思考】为什么强酸和强碱所生成的盐不发生水解,溶液呈中性?

盐类水解后生成了酸或碱,盐类的水解反应可以看做是酸碱中和反应的逆反应。

$$酸 + 碱 \underset{水解}{\overset{中和}{\rightleftharpoons}} 盐 + 水$$

盐类的水解在日常生活和工农业生产中有着广泛的应用。古时候,人们就知道从草木灰里提取一种碱性物质,用来洗涤衣物,这种物质称之为灰碱,它的主要成分是碳酸钾。

乡村里,人们用明矾(硫酸铝钾)来净水。自来水厂生产自来水时,人们在水中加入硫酸铝或三氯化铁,利用铝盐或铁盐水解生成的氢氧化铝或氢氧化铁吸附水中悬浮的杂质,达到净水的目的。

酸碱式灭火机里装有碳酸氢钠溶液和硫酸铝溶液,当这两种盐溶液相遇时,就发生强烈水解,产生大量的二氧化碳气体,可以用来灭火。

但是,在有些情况下,也要抑制水解反应的进行。例如,实验室里配制三氯化铁溶液时,要加入一定量的盐酸,以防止三氯化铁水解生成氢氧化铁,使溶液浑浊。

习 题

1. 填写下表的空格:

盐	溶液的酸碱性	是否水解
(NH₄)₂SO₄		
Na₂CO₃		
K₂S		
Na₃PO₄		
CuSO₄		
NaNO₃		
AlCl₃		

2. 怎样用最简单的方法区别下列三种溶液：NaCl 溶液，NH₄Cl 溶液和 Na₂CO₃ 溶液。

3. 下列盐溶液中，pH＞7 的是_____；pH＜7 的是_____；pH＝7 的是_____。
(1) FeCl₃　　(2) K₂SO₄　　(3) K₂CO₃

4. 分析氯化铵溶液呈酸性的原因是什么？

本章小结

一、可逆反应

可逆反应是在同一条件下，既能向正反应方向进行，又能向逆反应方向进行的反应。

二、化学平衡

化学平衡研究的对象是可逆反应，它研究可逆反应进行的方向和程度。

化学平衡状态就是指可逆反应在一定条件下，正反应速度和逆反应速度相等，反应混合物中各组成成分的百分含量保持不变的状态。

化学平衡是动态平衡（$v_正 = v_逆 \neq 0$）

化学平衡在外界条件改变时，可以被破坏。

三、强弱电解质

在水溶液里，完全电离为离子的电解质称为强电解质，不完全电离的电解质称为弱电解质。

强酸、强碱和大多数盐都是强电解质。

弱酸、弱碱和水都是弱电解质。

弱电解质的电离是可逆的，在一定条件下达到平衡状态，称为电离平衡。

四、溶液中的离子反应

电解质在溶液里发生的复分解反应，实质上是离子反应。

离子反应发生的条件是离子相互结合，生成难溶性物质、气体（或挥发性物质）或弱电解质（如 H_2O）等。

离子反应可以用离子方程式表示。

用实际参加反应的离子符号来表示反应的式子叫离子方程式。它不仅表示特定物质间的某个反应，而且表示了所有同一类型的离子反应。

五、溶液的酸碱性和 pH 值

常温下，水中氢离子浓度和氢氧根离子浓度的乘积是一个常数。这个常数叫做水的离子积。

$$k_w = c(H^+) \cdot c(OH^-) = 1.0 \times 10^{-14}$$

酸性溶液　　$c(H^+) > c(OH^-)$, pH $<$ 7

中性溶液　　$c(H^+) = c(OH^-)$, pH $=$ 7

碱性溶液　　$c(H^+) < c(OH^-)$, pH $>$ 7

pH 值的计算　　pH $= -\lg[H^+]$

六、盐类的水解

盐类的离子跟水电离出的氢离子或氢氧根离子结合生成弱电解质的反应，叫做盐类的水解。

盐类水解反应是中和反应的逆反应。

第四章 烃及其衍生物

第一节 有机化合物的特征

自然界的物质种类繁多，根据它们的组成、结构和性质上的特点，通常分为无机化合物和有机化合物两大类。以前学过的单质、氧化物、酸、碱和盐都属于无机化合物。有机化合物对人类具有不可估量的重要意义。例如，脂肪、蛋白质、糖、血红素、叶绿素、酶等都是有机化合物，它们是组成地球上生物体的主要物质。生物体内的新陈代谢和生物的遗传现象，都涉及有机化合物的转变。此外，许多与人类生活有着密切关系的物质，例如石油、煤、棉花、合成纤维、橡胶、塑料等都是有机化合物，染料、药物也大多数是有机化合物。

【讨论】说出你所学过的几种有机化合物的名称，写出化学式。

有机化合物主含碳，绝大多数含氢，而且许多有机化合物还含有氧、硫、氮、卤素[①]、磷等元素。经过化学分析证明，任何一种有机化合物，其分子组成中都含有碳原子。通常我们把**含碳元素的化合物称为有机化合物**，简称有机物。而把研究有机物的化学，叫做有机化学。甲烷（CH_4）、酒精（C_2H_5OH）、蔗糖（$C_{12}H_{22}O_{11}$）、醋酸（CH_3COOH）等都是有机物。但有些物质，如碳的氧化物、碳酸和碳酸盐等少数物质，虽然含有碳元素，但是它们的组成和性质跟无机物相近，所以我们把它们看做无机物。

有机化合物和体育科学的关系十分密切。构成人体（和其他一切生物体）的化学物质，除水和无机盐以外都

---

①：卤素指原子最外层都有7个电子，具有相似的化学性质的一族非金属元素。包括氟、氯、溴、碘、砹。

是有机物，人体内所发生的化学反应，差不多都属于有机化学反应，有机化学知识是运动生物化学的基础，所以我们学习有机化合物的一些基本知识，是非常必要的。

一般地讲，有机化合物具有以下特征：

一、有机化合物的结构比较复杂，数目繁多。目前从自然界发现的和人工合成的有机物已达近千万种，并且每年还有几千种新的有机化合物在制备出来。而无机物却只有十来万种。这是由于碳原子最外层上有四个电子，可以和其他原子形成四个共价键，而且碳原子自己也能够相互连接起来，其连接的规模是任何其他元素的原子所不能达到的，从几个碳原子到成千上万个碳原子结合成长短不等的链和大小不同的环，形成了种类繁多的有机物。有关这方面的知识，将在以后各章里学习。

二、有机化合物是共价化合物，难溶于水，而易溶于汽油、酒精、苯等有机溶剂。

【实验4—1】取四支试管，其中两支各加3mL水，另两支各加3mL汽油（图4—1）。把少量的食盐和植物油分别加入水中，振荡，观察现象；再把少量的食盐和植物油分别加入汽油中，振荡，观察现象。

三、绝大多数有机物的熔点和沸点都较低，易燃。

四、有机物所起的化学反应比较复杂，一般比较慢，有的需要几小时甚至几天或更长的时间才能完成，所以有机化学反应常常要采用加热、加压或用催化剂等措施来促进它们的反应。有机化学反应常常伴有副反应，因此反应产物往往是混合物。

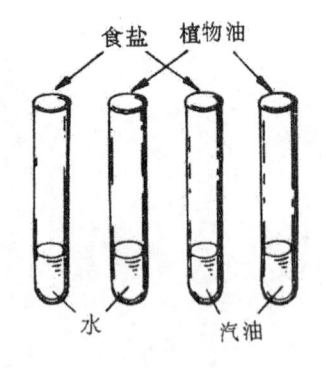

图 4—1　无机物和有机物的溶解性

习　题

1. 举出日常生活中遇到的有机物和无机物各三种。
2. "凡是含碳元素的化合物都是有机化合物"的说法是否全面？说明理由。
3. 简述有机物的特征。
4. 简述有机物与体育科学的关系。

第二节 甲烷

有机化合物里，有一大类物质**仅由碳和氢两种元素组成，这类物质总称为烃**，又叫**碳氢化合物**。烃类中分子组成最简单的物质是甲烷（CH_4）。

一、自然界里的甲烷

甲烷俗名沼气，也叫坑气。这是因为它是池沼底部和煤矿坑道所产生的气体的主要成分，也是天然气的主要成分。天然气中一般含甲烷80%～97%，油田气中也含有丰富的甲烷。

在我国四川、陕西等地有丰富的天然气资源，天然气与石油、煤一样，既是一种重要的能源，又是一种重要的化学工业资源。

二、甲烷的分子结构

科学家们对有机物经过长期的研究，发现有机物的性质不仅决定于它们的组成，而且还跟它们分子内原子的排布方式有关，也就是说，即使是分子组成相同的有机物，只要它们分子中原子的排布方式不同，它们就会有不同的性质，因而是不同的物质。**有机物的性质是由它们的组成和结构所决定的**。那么，甲烷的分子结构是怎样的呢？

甲烷分子是由一个碳原子和四个氢原子组成的碳氢化合物。碳原子与四个氢原子以四个共价键相结合。我们用"·"表示碳原子最外电子层上的电子，用"×"表示氢原子电子层上的电子，甲烷分子的电子式是：

$$\begin{matrix} & H & \\ & \overset{\cdot}{\underset{\times}{\,}} & \\ H & \overset{\cdot}{\underset{\times}{C}} & H \\ & \overset{\times}{\underset{\cdot}{\,}} & \\ & H & \end{matrix}$$

在化学上常用一条短线来代表一对共用电子。因此，甲烷分子的构造式是：

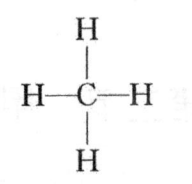

$$\begin{array}{c}H\\|\\H-C-H\\|\\H\end{array}$$

实验证明，甲烷分子里的一个碳原子和四个氢原子不在同一平面上，而是形成了一个正四面体的立体结构。碳原子位于正四面体的中心，而四个氢原子分别位于正四面体的四个顶点上。图 4—2 是甲烷分子结构示意图。图 4—3 之 I 是甲烷分子的球棍模型，中心的大黑球代表碳原子，四周的小白球代表氢原子，短棍代表价键。图 4—3 之 II 是甲烷分子的另一种模型，叫做比例模型。它用黑球和白球的体积比，来大体表示碳氢两种原子的体积比。

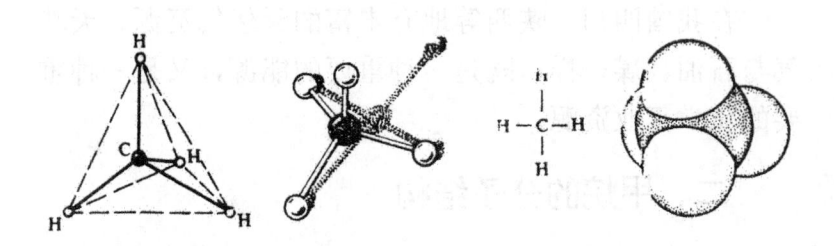

图 4—2 甲烷分子结构示意图

I 球棍模型　　II 比例模型
图 4—3 甲烷分子的模型

三、甲烷的性质和用途

1. 甲烷的物理性质

甲烷是无色、无味、无毒、比空气轻的可燃性气体。它的密度（在标准状况下）[①]是 0.717g/L，极难溶于水，但能溶于汽油、煤油等有机溶剂中。

2. 甲烷的化学性质

在通常情况下，甲烷比较稳定，不容易发生化学反应。但在特定的条件下，甲烷也会跟某些物质发生反应。

（1）氧化反应

---

①：0℃、101.3kpa 时的状况，我们称之为标准状况 (S. T. P)。

【实验4—2】 点燃纯净的甲烷,注意观察火焰。然后在火焰上方罩一个干燥烧杯(图4—4),观察发生的现象。把烧杯倒转过来,在烧杯内壁用澄清的石灰水润湿后,重新把烧杯罩在火焰上,观察发生的现象。

【思考】 根据实验现象,推测甲烷燃烧的反应产物是什么?

图4—4 甲烷的燃烧

纯净的甲烷在空气里平静地燃烧,生成二氧化碳和水,同时放出大量的热。

$$CH_4 + 2O_2 \xrightarrow{\text{点燃}} CO_2 + 2H_2O + \text{热量}$$

甲烷是一种很好的气体燃料。但是必须注意,在点燃甲烷气体前应先检验它的纯度。如果点燃甲烷与空气的混合物(含甲烷在5%～15%)会发生爆炸。

(2) 加热分解

甲烷在隔绝空气的条件下加热到1000℃以上,就分解成炭黑和氢气。

$$CH_4 \xrightarrow{\text{高温}} C + 2H_2$$

炭黑是橡胶工业的重要原料,也可以用于制造颜料、油墨、涂料等。

(3) 取代反应

甲烷在光照条件下能跟氯气、液溴等物质发生反应。

【实验4—3】 取一支25mm×200mm的大试管,用排饱和食盐水的方法,先收集四体积的氯气,然后再通入一体积的甲烷,把装有混合气体的试管倒立在盐水槽里,固定在铁架台上。把试管放在散射[①]日光或汞灯的紫外线照射下,观察发生的现象(图4—5)。

图4—5 甲烷与氯气反应

可以看到,试管里的液面逐渐上升,混合气体的黄绿色变淡,试管壁上有油状液滴。

我们用构造式来书写甲烷与氯气反应的化学方程式是:

---

①:直射日光下会发生爆炸。

$$\underset{\underset{H}{|}}{\overset{\overset{H}{|}}{H-C-H}} + Cl-Cl \xrightarrow{光} \underset{\underset{H}{|}}{\overset{\overset{H}{|}}{H-C-Cl}} + H-Cl$$

一氯甲烷

反应生成的一氯甲烷分子中还有三个氢原子，这些氢原子仍可被氯原子代替，因此反应继续进行，依次生成二氯甲烷、三氯甲烷（又叫氯仿）和四氯甲烷（又叫四氯化碳）。

$$\underset{\underset{Cl}{|}}{\overset{\overset{H}{|}}{H-C-H}} + Cl-Cl \xrightarrow{光} \underset{\underset{Cl}{|}}{\overset{\overset{H}{|}}{H-C-Cl}} + H-Cl$$

二氯甲烷

$$\underset{\underset{Cl}{|}}{\overset{\overset{H}{|}}{Cl-C-H}} + Cl-Cl \xrightarrow{光} \underset{\underset{Cl}{|}}{\overset{\overset{H}{|}}{Cl-C-Cl}} + H-Cl$$

三氯甲烷

$$\underset{\underset{Cl}{|}}{\overset{\overset{Cl}{|}}{Cl-C-H}} + Cl-Cl \xrightarrow{光} \underset{\underset{Cl}{|}}{\overset{\overset{Cl}{|}}{Cl-C-Cl}} + H-Cl$$

四氯甲烷

在上述反应中，甲烷分子里的四个氢原子能逐个被氯原子所代替而生成了四种取代产物。

有机物分子里的某些原子或原子团被其他原子或子团所代替的反应叫做取代反应。

【思考】取代反应和置换反应有什么不同？

一氯甲烷等四种取代产物都是甲烷的氯代物。它们都不溶于水。三氯甲烷和四氯甲烷都是一种良好的溶剂。四氯甲烷还曾用作灭火剂。

习　题

1. 填空：

(1) 甲烷的分子式是____，构造式是____。甲烷分子是_____的立体结构。

(2) 甲烷与氯气在_____条件下发生_____，得到_____等混合物，其中____俗名氯仿。

2. 溴与甲烷的取代反应同氯气与甲烷的取代反应和产物相类似。写出溴与甲烷起反应的各步化学方程式。

3. 怎样用实验来鉴别甲烷、氢气和一氧化碳？

4. "一摩尔甲烷里含有一摩尔碳分子和二摩尔氢分子"，这种说法对吗？如果不对，加以改正。

第三节　烷烃

一、烷烃

除甲烷外，在天然气和石油里存在着一系列化学性质与甲烷很相似的烃，如乙烷（C_2H_6）、丙烷（C_3H_8）、丁烷（C_4H_{10}）等。乙烷、丙烷的构造式分别表示如下：

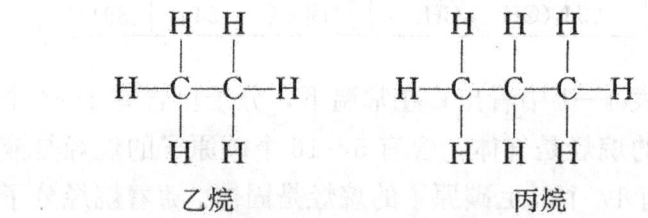

$$\begin{array}{c} H\ H \\ |\ \ | \\ H-C-C-H \\ |\ \ | \\ H\ H \end{array} \qquad \begin{array}{c} H\ H\ H \\ |\ \ |\ \ | \\ H-C-C-C-H \\ |\ \ |\ \ | \\ H\ H\ H \end{array}$$

　　　乙烷　　　　　　　丙烷

从乙烷、丙烷分子的构造式可以看出，在它们的分子里，碳原子之间都以单键结合成链状，碳原子剩余的价键全部跟氢原子相结合，这样的结合使每个碳原子的化合价都已充分利用，即都达到"饱和"。具有这种结构特点的链烃叫做**饱和链烃**，或称**烷烃**。"烷"就是完满的意思。饱和链烃具有链状分子结构的烷叫做链烷，又叫做脂肪烃。烷烃是根据分子里所含的碳原子数目来命名的。碳原子数在十个以下的，用甲、乙、丙、丁、戊、己、庚、辛、壬、癸来表示；碳原子数在十一个以上的，就用汉字基数来表示。例如，C_5H_{12}叫戊烷，$C_{17}H_{36}$叫十七烷。

有机物除了用构造式来表示外，也常用构造简式来表示。如甲烷的构造简式是CH_4，乙烷的构造简式是CH_3CH_3，丙烷的构造简式是$CH_3CH_2CH_3$。构造简式比构造式书写更方便。

随着烷烃分子里碳原子数的递增，它们的物理性质发生规律性的变化。

【讨论】阅读表4—1，找出烷烃某些物理性质的变化规律以及在常温下（20℃），烷烃的物理状态跟它分子里含有碳原子数的关系。

表4—1　几种烷烃的物理性质

名称	结构简式	常温时的状态	熔点 $t/℃$	沸点 $t/℃$
甲烷	CH_4	气	−182.5	−164
乙烷	CH_3CH_3	气	−183.3	−88.63
丙烷	$CH_3CH_2CH_3$	气	−189.7	−42.07
丁烷	$CH_3(CH_2)_2CH_3$	气	−138.4	−0.5
戊烷	$CH_3(CH_2)_3CH_3$	液	−129.7	36.07
辛烷	$CH_3(CH_2)_6CH_3$	液	−56.79	125.7
癸烷	$CH_3(CH_2)_8CH_3$	液	−29.7	174.1
十六烷	$CH_3(CH_2)_{14}CH_3$	液	18.1	286.5
十七烷	$CH_3(CH_2)_{15}CH_3$	固	22	301.8
二十四烷	$CH_3(CH_2)_{22}CH_3$	固	54	391.3

从表4—1中看出，在常温下，分子里含有1～4个碳原子的烷烃是气体，含有5～16个碳原子的烷烃是液体，含有17个以上碳原子的烷烃是固体。随着烷烃分子中碳原子数的递增，烷烃的熔点和沸点都逐渐升高。

【思考】含有n个碳原子的烷烃的化学式应该怎样表示？

二、同系物

从表4—1里的烷烃化学式可以看出，相邻两个烷烃在组成上都相差一个"CH_2"原子团。如果把烃分子中碳原子数定为n，氢原子数就是$2n+2$。烷烃的化学式可用C_nH_{2n+2}来表示，我们把这个式子作为烷烃分子的通式。

【练习】 写出辛烷和十八烷的化学式，并指出它们在常温下的物理状态。

我们把结构相似，在分子组成上相差 n① 个 "CH_2" 原子团的各物质互相称为同系物。甲烷、乙烷、丙烷、丁烷等都是烷烃的同系物，这些烃在化学性质上与甲烷相似。在通常情况下，它们很稳定，与酸、碱和氧化剂都不起反应，也难以与其他物质化合。这些烃在空气里都可以点燃。在光照条件下，这些烃都能与氯气起取代反应等。

但是，有很多物质的分子组成完全相同，但性质上却有差异。例如人们发现了两种熔点、沸点和密度不同的丁烷，它们的分子组成都是 C_4H_{10}，为了区别起见，人们把它们分别叫做正丁烷和异丁烷，如表 4—2 所示。

表 4—2 正丁烷、异丁烷的物理性质

	正丁烷	异丁烷
熔点 $t/℃$	−138.4	−159.6
沸点 $t/℃$	−0.5	−11.7
液态时的密度 $\rho/(g/cm^3)$	0.5788	0.557

三、同分异构体

为什么这两种丁烷具有相同的组成和相同的式量，但却有不同的性质呢？根据有机物的性质跟它们分子的组成和结构有密切关系来考虑，丁烷分子可能有两种不同的结构。图 4—6 是丁烷的比例模型。

经科学实验证明，原来它们的结构是不相同的。正

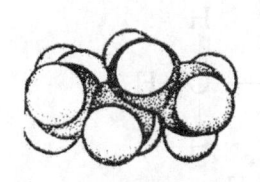

正丁烷　　　　　异丁烷
图 4—6　丁烷的比例模型

---

① : n 为 0, 1, 2, 3……的整数。

丁烷分子里的碳原子形成直链,而异丁烷分子里的碳原子却带有支链。

$$\underset{\text{正丁烷}}{\begin{array}{c}H\;H\;H\;H\\|\;\;|\;\;|\;\;|\\H-C-C-C-C-H\\|\;\;|\;\;|\;\;|\\H\;H\;H\;H\end{array}} \qquad \underset{\text{异丁烷}}{\begin{array}{c}H\;H\;H\\|\;\;|\;\;|\\H-C-C-C-H\\|\;\;|\;\;|\\H\;H\;H\\\;\;\;\;|\\\;\;\;\;H-C-H\\\;\;\;\;|\\\;\;\;\;H\end{array}}$$

由此可见,烃分子里的碳原子既能形成直链的碳链(如正丁烷),又能形成带有支链的碳链。因此虽然两种丁烷的组成相同,但分子里原子连接的顺序不同,也就是说分子的结构不同,因此它们的性质就有差异。

像这样化学式相同而结构不同的现象,叫做同分异构现象。具有同分异构现象的化合物互称为**同分异构体**。例如正丁烷和异丁烷就是丁烷的两种同分异构体。戊烷(C_5H_{12})有三种同分异构体。戊烷的三种同分异构体的构造式如下:

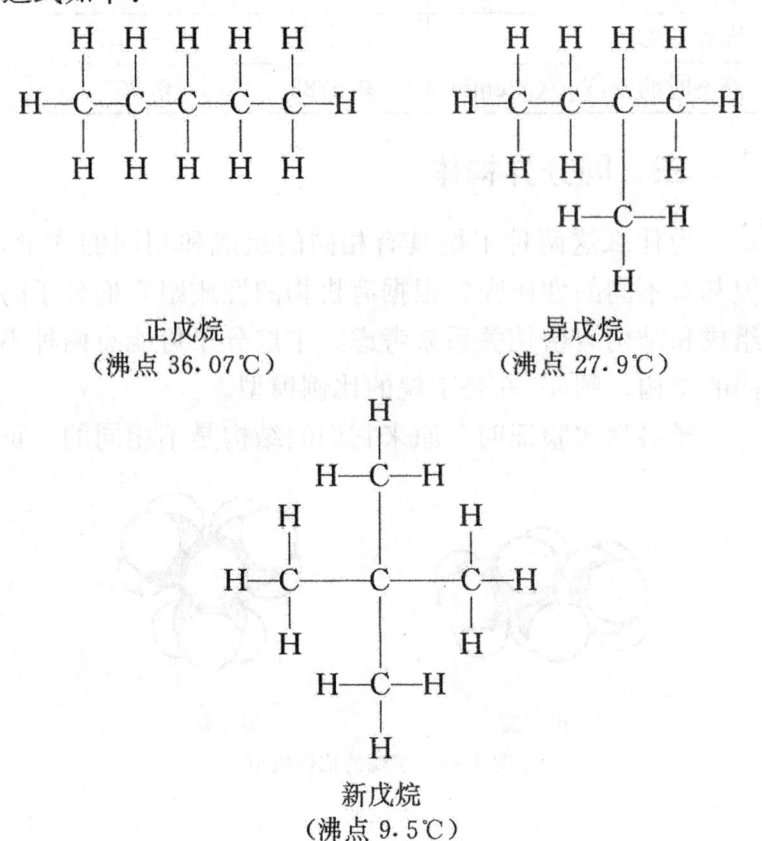

正戊烷
(沸点 36.07℃)

异戊烷
(沸点 27.9℃)

新戊烷
(沸点 9.5℃)

图 4—7 是戊烷的三种同分异构体的球棍模型。

从图 4—7 可以看出，就是不带支链的链烃，它的碳链也不是直线形的，而是锯齿形的。同样，异戊烷的分子里的碳链也是锯齿形的。

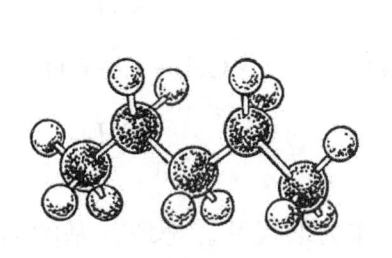

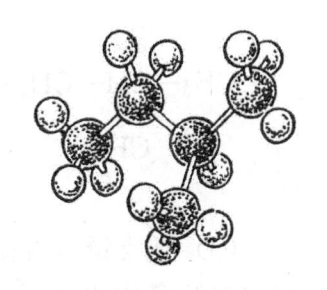

Ⅰ 正戊烷　　　　Ⅱ 异戊烷　　　　Ⅲ 新戊烷

图 4—7　戊烷同分异构体分子的球棍模型

由此可见，在烷烃同系物的分子里，随着碳原子数目的增多，碳原子间的连接方式就越趋复杂，同分异构体的数目也就越多。例如己烷（C_6H_{14}）有五种同分异构体，庚烷（C_7H_{16}）有九种，而癸烷（$C_{10}H_{22}$）有七十五种之多。

四、烃基

烃分子失去一个或几个氢原子后所剩余的基团叫做烃基。烷烃分子失去一个或几个氢原子后所剩余的基团（原子团）叫做烷基。烃基一般用"—R"表示。甲烷和乙烷失去一个氢原子得到甲基和乙基，如—CH_3 叫甲基，—CH_2CH_3 叫乙基。

五、烷烃的命名

有机物种类繁多，分子的组成和结构又比较复杂，所以有机物的命名就显得十分重要。前面提到的戊烷的三种同分异构体就只能用正、异、新来区别。如果碳原子数目再多一些，这样简单的命名方法显然就不能满足需要。现在我们以一个带有支链的烷烃为例，来介绍一种通用的系统命名法，这种命名法的步骤如下：

（1）选定分子里最长的碳链做主链，并按主链上碳原子的数目称为"某烷"。

(2) 把主链里离支链较近的一端作为起点，用1，2，3……阿拉伯数字给主链的各个碳原子依次编号以确定支链的位置。

$$\overset{1}{C}H_3-\overset{2}{C}H-\overset{3}{C}H_2-\overset{4}{C}H_3 \qquad \overset{1}{C}H_3-\overset{2}{\underset{\underset{CH_3}{|}}{\overset{\overset{CH_3}{|}}{C}}}-\overset{3}{C}H_3$$
$$\underset{CH_3}{|}$$

(3) 把支链（烷基）作为取代基。把取代基的名称写在烷烃名称的前面，在取代基的前面用阿拉伯数字注明它在烷烃直链上的所在位置，并在位号后面连一短线，即中间用"—"隔开。例如：

$$\overset{1}{C}H_3-\overset{2}{\underset{\underset{CH_3}{|}}{C}H}-\overset{3}{C}H_2-\overset{4}{C}H_3$$

2-甲基丁烷（即异戊烷）

(4) 如果有相同的取代基，可以合并起来用二、三等数字表示，但表示相同取代基位置的阿拉伯数字要用"，"号隔开；如果几个取代基不同，就把简单的写在前面，复杂的写在后面。并且每个取代基要有一个相应的位号表示。例如：

$$\overset{1}{C}H_3-\overset{2}{\underset{\underset{CH_3}{|}}{C}H}-\overset{3}{\underset{\underset{CH_3}{|}}{C}H}-\overset{4}{C}H_2-\overset{5}{C}H_3$$

2,3-二甲基戊烷

（不是 3,4-二甲基戊烷）

$$\overset{7}{C}H_3-\overset{6}{C}H_2-\overset{5}{C}H_2-\overset{4}{C}H_2-\overset{3}{\underset{\underset{\underset{CH_3}{|}}{\underset{CH_2}{|}}}{C}H}-\overset{2}{\underset{\underset{CH_3}{|}}{C}H}-\overset{1}{C}H_3$$

2-甲基-3-乙基庚烷

$$\begin{array}{c}CH_3\\|\\CH_3-C-CH_3\\|\\CH_3\end{array}$$

2,2-二甲基丙烷（不是 2-二甲基丙烷）

习 题

1. 什么叫同系物？写出下列各种烷烃的化学式。
   （1）庚烷　（2）十二烷　（3）二十三烷　（4）含有 30 个氢原子的烷
   （5）相对分子质量为 72 的烷
2. 能不能说组成相同、相对分子质量相同的物质就是同一种化合物？举例说明。
3. 写出戊烷的各种同分异构体的结构简式，并用系统命名法命名。
4. 写出辛烷燃烧的化学方程式。
5. 写出下列各化合物的构造式。
   （1）2,2,3-三甲基丁烷　（2）2,3-二甲基-3-乙基己烷　（3）2-甲基-3-乙基辛烷
6. 写出下面烃的名称。

$$CH_3-CH-CH_2-CH-CH_2-CH-CH_2-CH_2-CH_3 \atop \underset{CH_3}{|}\underset{CH_3}{|}\underset{\underset{CH_3}{\underset{|}{CH_2}}}{\underset{|}{CH_2}}$$

（结构：主链含 CH₃ 在 2、4 位及 6 位有 CH₂CH₂CH₃ 支链等）

7. 下列各对式子中，互为同分异构体的是____；属于同一种物质的是____；属于同系物的是____。

（1）$\begin{array}{c}H\\|\\Br-C-Br\\|\\H\end{array}$ 和 $\begin{array}{c}H\\|\\H-C-Br\\|\\Br\end{array}$

（2）$CH_3(CH_2)_2CH_3$ 和 $\begin{array}{c}CH_3\ CH_3\\|\ \ \ \ |\\CH_2-CH_2\end{array}$

（3）$CH_3CH_2CH_3$ 和 $CH_3(CH_2)_4CH_3$

· 53 ·

(4)
$$\begin{array}{c} \text{Br} \quad \text{H} \\ | \quad\quad | \\ \text{H}-\text{C}-\text{C}-\text{H} \\ | \quad\quad | \\ \text{H} \quad \text{Br} \end{array}$$
和
$$\begin{array}{c} \text{H} \quad \text{H} \\ | \quad\quad | \\ \text{H}-\text{C}-\text{C}-\text{H} \\ | \quad\quad | \\ \text{Br} \quad \text{Br} \end{array}$$

(5) $CH_3CH_2CH_2CH_3$ 和 $CH_3CH(CH_3)CH_3$

第四节 乙烯

一、乙烯的分子结构

除了烷烃外，还有一类跟烷烃性质不同的烃——烯烃，乙烯是烯烃中最简单的物质。

我们不妨把乙烯（C_2H_4）跟碳原子数相同的乙烷（C_2H_6）相比较，乙烯分子比乙烷分子少两个氢原子，它们的分子结构不同，乙烯分子里的碳原子还可以结合其他的原子或原子团。在链烃中，除了像烷烃这样的饱和烃外，还有许多烃，它们分子里的碳原子所结合的氢原子数比碳原子数相同的饱和烃分子里所含的氢原子要少，这种碳原子还可以与其他的原子或原子团相结合。我们通常把这类烃叫做**不饱和烃**。乙烯是结构最简单的不饱和烃，乙烯分子的电子式是：

$$\begin{array}{c} \text{H} \quad\quad \text{H} \\ \text{\textbullet\textbullet} \quad \text{\textbullet\textbullet} \\ \text{H}_\times^\times\text{C}_\times^\times\text{C}_\times^\times\text{H} \end{array}$$

构造式是：

$$\begin{array}{c} \text{H} \quad \text{H} \\ | \quad\quad | \\ \text{H}-\text{C}=\text{C}-\text{H} \end{array}$$

从乙烯的构造式可以看出，乙烯分子里含有 C═C 双键。**链烃分子里含有碳碳双键（C═C）的不饱和烃叫做烯烃。**"烯"就是氢原子稀少的意思。单烯烃分子比相应的烷烃分子少两个氢原子，它们的通式为 C_nH_{2n}。

为了更简单形象地描述乙烯分子的结构，我们常用分子模型来表示（图4—8）。在图4—8之 I 的球棍模型里，两个碳原子间用两根可以弯曲的弹性短棍来连接，用它们来表示双键。图 4—8 之 Ⅱ 是乙烯分子的比例模型。

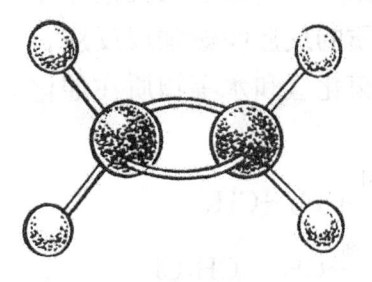

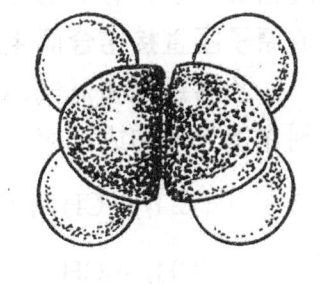

Ⅰ 球棍模型　　　　　　Ⅱ 比例模型

图 4—8　乙烯分子模型

在乙烯分子的碳碳双键中,有一个键是比较稳定的,而另一个键则不稳定,这个不稳定的键在外界条件的影响下易断裂而发生一系列的反应。因此,乙烯具有较活泼的化学性质。

二、乙烯的性质和用途

1. 乙烯的物理性质

乙烯是无色稍有气味的气体,标准状况下的密度是 1.25g/L,比空气略轻,难溶于水。

乙烯比甲烷活泼,能跟很多物质发生化学反应。

2. 乙烯的化学性质

（1）加成反应

乙烯能跟溴水发生反应。

【实验 4—4】　在盛有溴水的两支试管中,分别通入甲烷和乙烯。观察现象（图 4—9）。

甲烷与溴水不发生反应,不能使溴水褪色,而乙烯能与溴水发生反应,使溴水从橙红色变成无色,生成无色的 1,2-二溴乙烷（CH_2Br—CH_2Br）液体。

图 4—9　乙烯跟溴水反应

$$\begin{array}{c}H\ \ H\\|\ \ \ |\\H-C=C-H\end{array} + Br-Br \longrightarrow \begin{array}{c}H\ \ H\\|\ \ \ |\\H-C-C-H\\|\ \ \ |\\Br\ Br\end{array}$$

　　　　　　　　　　　　1,2-二溴乙烷

这个反应是乙烯分子的双键里的一个键断裂,两个溴原子分别加在两个价键不饱和的碳原子上，生成了二溴乙烷。这种有机物分子里**不饱和的碳原子与其他原子或原子团直接结合而生成新物质的反应叫做加成反应**。

乙烯还能和氢气、氯气、卤化氢和水等物质在催化剂作用下起加成反应。

$$CH_2\!=\!CH_2+H_2 \xrightarrow{催化剂} CH_3\!-\!CH_3$$

$$CH_2\!=\!CH_2+HCl \xrightarrow{催化剂} CH_3\!-\!CH_2Cl$$

$$CH_2\!=\!CH_2+HOH \xrightarrow{催化剂} CH_3CH_2OH$$

乙醇

（2）氧化反应

与甲烷一样，乙烯能在空气中燃烧，生成二氧化碳和水，同时放出大量的热。

【实验4—5】 点燃纯净的乙烯，观察现象。

乙烯燃烧时有明亮的火焰，同时产生黑烟。

$$C_2H_4+3O_2 \xrightarrow{点燃} 2CO_2+2H_2O+热量$$

【讨论】解释为什么乙烯燃烧时的火焰比甲烷燃烧时明亮？为什么会产生黑烟？

乙烯不但能被氧气直接氧化，而且还能被其他氧化剂所氧化。

【实验4—6】 向盛有酸性高锰酸钾溶液的两支试管中，分别通入甲烷和乙烯气体。观察溶液颜色是否起变化。

常温下，乙烯可被氧化剂高锰酸钾（$KMnO_4$）氧化，使高锰酸钾溶液褪色，而甲烷不能。用这种方法可以区别甲烷和乙烯。

（3）聚合反应

乙烯在适当的温度、压强和有催化剂存在的条件下，分子里碳碳双键中的一个键容易断裂，而断裂后的碳原子之间能相互结合成为很长的链。

$$CH_2\!=\!CH_2+CH_2\!=\!CH_2+CH_2\!=\!CH_2+\cdots\cdots$$
$$\longrightarrow -CH_2\!-\!CH_2\!-\!+\!-CH_2\!-\!CH_2\!-\!+\!-CH_2\!-\!CH_2\!-$$
$$+\cdots\cdots \longrightarrow -CH_2\!-\!CH_2\!-\!CH_2\!-\!CH_2\!-\!CH_2\!-\!CH_2\!-$$
$$\cdots\cdots$$

这个反应也可用下式表示：

$$n\text{CH}_2=\text{CH}_2 \xrightarrow{\text{催化剂}} \text{[CH}_2-\text{CH}_2\text{]}_n$$
聚乙烯

反应的产物是聚乙烯，聚乙烯是重要的塑料，化学式可以简单写为$(C_2H_4)_n$。它的相对分子质量很大，可达到几万、几十万。这种**由相对分子质量小的化合物分子互相结合成为相对分子质量很大的化合物的反应，叫做聚合反应**。我们把聚合反应中的反应物（即相对分子质量小的化合物）称为单体（乙烯），生成的相对分子质量很大的化合物称为高分子化合物（聚乙烯）。乙烯聚合成聚乙烯的反应也是加成反应，所以又称为加成聚合反应，简称**加聚反应**。

乙烯是石油化学工业最重要的基本原料，乙烯工业的发展为三大合成材料、基本有机原料和精细化工的发展提供了丰富而廉价的原料资源。乙烯工业是一个国家石油化工发展的标志。1990年度我国乙烯年产量达150万吨，居世界第八位。1996年我国乙烯生产能力将达389.5万吨/年，乙烯产量将突破300万吨。到2010年，我国乙烯生产能力预计达到800万～1000万吨。

乙烯除了是有机合成工业的最基本的原料之一外，还是一种植物生长调节剂，常常用作果实催熟剂等。

三、乙烯的制法

工业上所用的乙烯，主要是从石油裂解所产生的气体里分离出来。实验室里是把酒精和浓硫酸混合加热，使酒精分解以制得乙烯。浓硫酸在反应过程里起催化剂和脱水剂的作用。

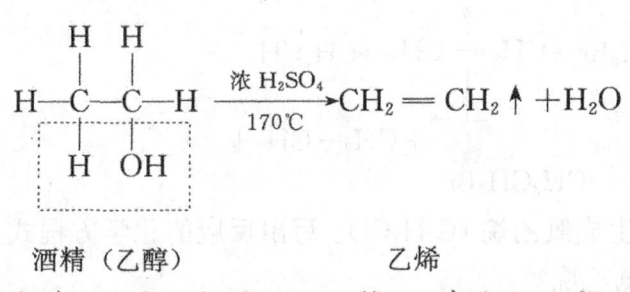

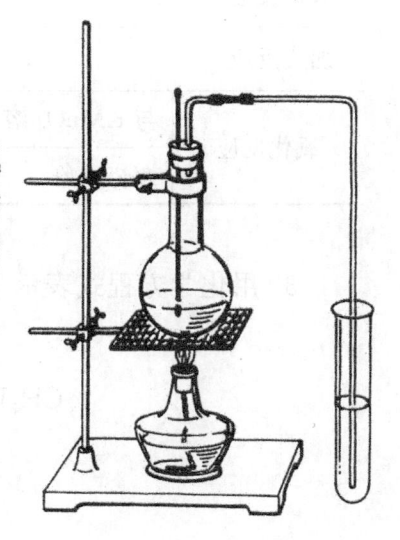

$$\underset{\text{酒精（乙醇）}}{\text{H}-\overset{\overset{\text{H}}{|}}{\underset{\underset{\text{H}}{|}}{\text{C}}}-\overset{\overset{\text{H}}{|}}{\underset{\underset{\text{OH}}{|}}{\text{C}}}-\text{H}} \xrightarrow[170℃]{\text{浓 H}_2\text{SO}_4} \underset{\text{乙烯}}{\text{CH}_2=\text{CH}_2}\uparrow + \text{H}_2\text{O}$$

图 4—10 乙烯的制法

【实验 4—7】如图 4—10 所示，在烧瓶里注入酒精和浓硫酸(体积比1∶3)的混合液20mL,并放入几片碎瓷片,以免混合液受热沸腾时剧烈跳动。加热使液体温度迅速上升到170℃,这时就有乙烯生成。

习　题

1. 选择题:
(1) 乙烯发生的下列反应中,不属于加成反应的是( )
① 跟氢气反应　② 跟水反应　③ 在空气中燃烧　④ 使溴水褪色
(2) 关于乙烯用途的下列说法中,不正确的是( )
① 制造塑料　② 制取有机溶剂　③ 用作果实催熟剂　④ 用作燃料
2. 填下表:

		乙烷	乙烯
化学式			
含碳量(%)			
结构简式			
结构特点			
取代反应			
加成反应			
氧化反应	与$KMnO_4$溶液反应		
	燃烧现象		

3. 用化学方程式表示下列物质间的转变。

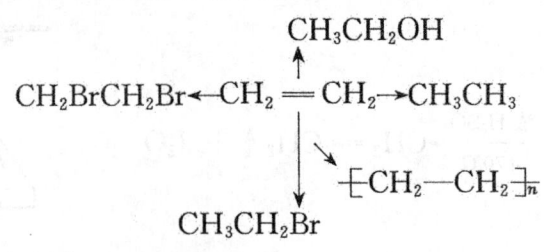

$$CH_2BrCH_2Br \leftarrow CH_2=CH_2 \rightarrow CH_3CH_3$$

其中 $CH_2=CH_2$ 向上转变为 CH_3CH_2OH,向下转变为 CH_3CH_2Br 及 $-[CH_2-CH_2]_n-$

4. 乙烯和氯化氢加成可以生成氯乙烷(C_2H_5Cl)。写出反应的化学方程式。按理论计算每吨乙烯能生产多少吨氯乙烷?

第五节 苯

苯（C_6H_6）与甲烷、乙烯不同，是一种具有环状结构的有机物，这种特殊的环状结构称为苯环。**分子中具有苯环结构（⬡）的碳氢化合物叫做芳香烃**。苯是芳香烃里最简单、最重要的化合物。

一、苯的分子结构

苯的化学式是 C_6H_6。从组成来看，苯显然不属于饱和烃。1865 年德国化学家凯库勒首先提出苯是一个环状结构，其构造式表示如下：

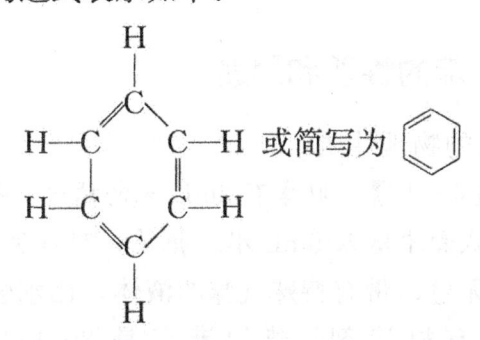

$$\begin{array}{c} H \\ | \\ C \\ H-C \diagup \diagdown C-H \\ \| \quad \quad | \\ H-C \diagdown \diagup C-H \\ C \\ | \\ H \end{array} \text{ 或简写为 } \bigcirc\!\!\!\!\!\!\!\!\!\bigcirc$$

从这样的构造式（又称凯库勒式）来推测，苯的化学性质应当具有不饱和链烃的性质。那么它的化学性质是否也与烯烃相似呢？

【实验4—8】 在盛有酸性高锰酸钾溶液的试管里，加入少量苯，振荡。观察现象。

从实验看出，苯不能使酸性高锰酸钾溶液褪色。它跟一般的不饱和烃在性质上有很大差别。

【实验4—9】 在有溴水的试管里，加入少量苯，振荡。观察现象。

苯不能使溴水褪色。事实证明，苯也不能与氯化氢等物质起加成反应。

那么，苯分子的结构是怎样的呢？经过大量的实验和研究证明，苯分子是由六个碳原子组成的平面正六边形结构，每一个碳原子上连接一个氢原子。在苯环中不存在单纯的碳碳单键，也不存在单纯的碳碳双键，而是一种介于单键和双键之间的特殊的键。为了表示苯分子这种特殊结构，用下面形式代表苯环更为确切：

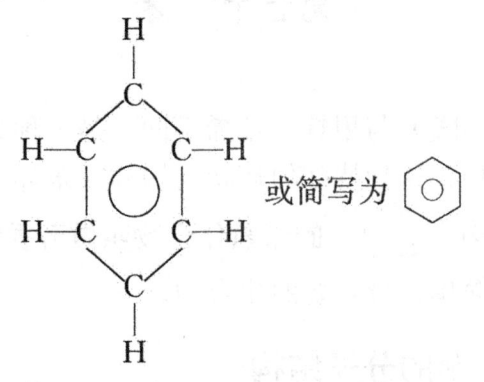

苯分子模型可以如图 4—11 那样表示。

凯库勒式的表示方法直到现在仍被沿用，但不要把苯的分子结构简单地看成是单、双键交替组成的环状结构。

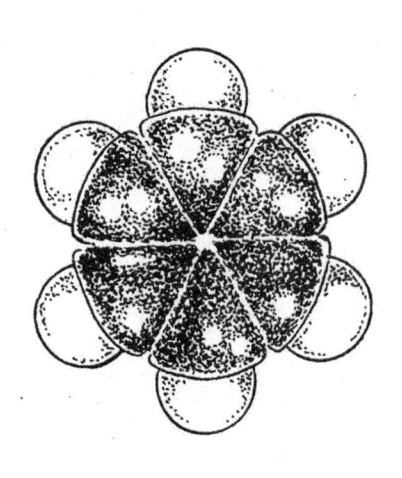

图 4—11 苯分子的模型

二、苯的性质和用途

1. 苯的物理性质

【实验4—10】 取盛有 2mL 苯的试管，观察并嗅闻气味。在试管中加入 5mL 水，振荡，观察现象。

苯是无色、带有特殊气味的液体，比水轻，不溶于水，溶于有机溶剂。苯的沸点是 80.1℃，熔点是 5.5℃。

2. 苯的化学性质

（1）氧化反应

苯由碳、氢两种元素组成，燃烧后生成二氧化碳和水。

$$2C_6H_6 + 15O_2 \longrightarrow 12CO_2 + 6H_2O + 热量$$

苯分子中的含碳量很大，燃烧时产生的火焰比其他烃类更为明亮，并产生浓烟。

（2）取代反应

苯分子里的氢原子能被其他原子或原子团代替而发生取代反应。

① 苯跟卤素的取代反应

在催化剂（铁屑或溴化铁）存在的条件下，苯分子中的氢原子能被溴取代。

【实验4—11】 按图4—12装置，在具支试管中加入铁丝球（作催化剂），把苯和溴以4：1的体积比混合，在分液漏斗里加入2.5mL该混合液，双球吸收管中注入四氯化碳①液体，导管通入盛有硝酸银溶液的试管里。开启分液漏斗活塞，逐滴滴入苯和溴的混合液，观察现象。反应完毕后，取下漏斗，将反应后的混合液注入盛有20mL 3mol/L的NaOH溶液的烧杯中，充分搅拌，观察现象。

可以观察到，盛有硝酸银的试管中出现浅黄色沉淀。

【讨论】 这浅黄色沉淀可能是什么物质？

在盛有氢氧化钠溶液的烧杯底部，可以看到有一种无色油状的液体，这是另一个反应产物溴苯（C_6H_5Br）。

$$\text{⌬} + Br_2 \xrightarrow{\text{催化剂}} \text{⌬}-Br + HBr$$

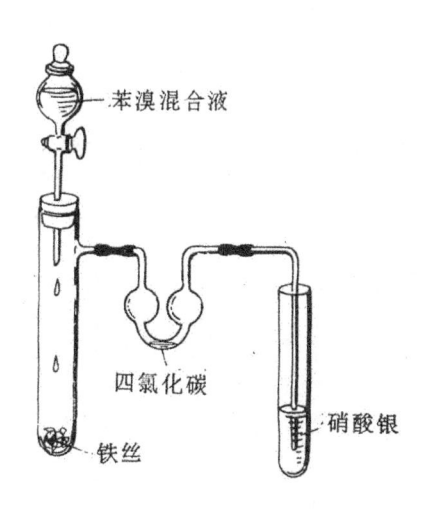

溴苯

图4—12 苯跟溴的取代反应

在催化剂作用下，苯还能跟其他卤素起取代反应。

② 苯的硝化反应

【实验4—12】 取一支大试管，先加入1.5mL浓硝酸和2mL浓硫酸，摇匀，冷却。在混合酸中慢慢地滴入1mL苯，并不断摇动，使其混合均匀。然后将试管放在60℃的水浴中，加热10分钟后，把混合物倒入另一支盛水的试管里。观察现象（图4—13）。

可以明显地看到，试管底部有油状物质生成，这是苯与硝酸反应的产物硝基苯（$C_6H_5NO_2$）。

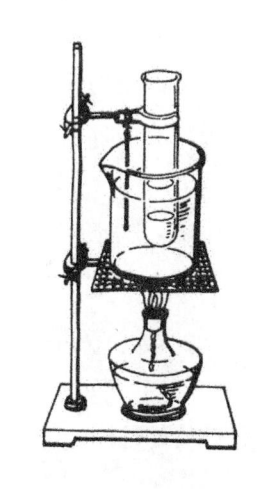

$$\text{⌬} + HO-NO_2 \xrightarrow[\triangle]{\text{浓 } H_2SO_4} \text{⌬}-NO_2 + H_2O$$

硝基苯

图4—13 苯的硝化反应

在上面的反应里，苯分子中的氢原子被硝基（—NO_2）所取代的反应，叫做硝化反应。

硝基苯有毒，与皮肤接触或吸入它的蒸气都能引起中毒。

（3）加成反应

---

①：四氯化碳是用于吸收反应中逸出的溴蒸气。

苯虽然不与氯化氢、溴水等物质起加成反应，但在加热和催化剂（镍）的作用下，苯能与氢气起加成反应，生成环己烷（C_6H_{12}）。

$$\bigcirc + 3H_2 \xrightarrow[\triangle]{催化剂} \begin{array}{c} H_2C \\ H_2C \\ \end{array} \begin{array}{c} CH_2 \\ CH_2 \\ \end{array}$$

环己烷

苯是一种很重要的有机化工原料，它广泛用来生产合成纤维、合成橡胶、塑料、农药、药物、染料、香料等。苯也常用作有机溶剂。

【阅读材料】

环 烃

烃分子里碳碳原子的连接有两种不同的情况。一种是碳碳之间以直链相连接，这种烃称为链烃，例如乙烷、乙烯等；另一种是碳碳之间相互连接成环状，这种烃称为环烃，如环己烷是饱和环烃，苯是芳香烃。

除了苯（⌬）以外，甲苯（⌬—CH_3）、二甲苯（CH_3—⌬—CH_3）等都是苯的同系物，它们是芳香烃化合物，它们的通式是C_nH_{2n-6}。

习 题

1. 下列说法是否正确：

(1) 苯的结构是⌬。它有单键，能发生取代反应；它还有双键，所以可起加成反应。

(2) 苯和浓硝酸发生硝化反应，硝化反应不是取代反应。

(3) 乙烯和苯都能使溴水褪色。

2. 写出苯分别跟溴、浓硝酸发生反应的化学方程式。

3. 在用氯化铝作催化剂时，苯能与氯气发生取代反应。写出反应的化学方程式。

第六节 乙醇

糖类物质如淀粉、蜂蜜在酶的催化下，发酵后就变成了酒。4000年前，我们的祖先就用酒曲使淀粉发酵来酿酒。这是一项重大发明。

酒的主要成分是乙醇，乙醇俗称酒精。

一、乙醇的结构和物理性质

乙醇的化学式是 C_2H_6O，构造式为：

$$\begin{array}{c} H\ \ H \\ |\ \ \ | \\ H-C-C-O-H \\ |\ \ \ | \\ H\ \ H \end{array},$$

可简写为 CH_3CH_2OH 或 C_2H_5OH。

乙醇分子比例模型如图4—14所示。

乙醇分子里的—OH原子团叫做羟基。

图4—14 乙醇分子的比例模型

【思考】 比较乙醇和乙烷分子结构的不同点。

乙醇分子可以看做乙烷分子里的氢原子被羟基所取代的产物。烃分子里的氢原子被其他原子或原子团所取代，就能生成一系列新的有机化合物，如硝基苯、一氯甲烷、乙醇等。这些有机化合物，从结构上说，都可以看做是由烃衍变而来的，所以叫做**烃的衍生物**。

乙醇是无色、有特殊香味的液体。它比水轻，20℃时密度是 $0.7893g/cm^3$，沸点是78.5℃，熔点—117.3℃。乙醇易挥发，能够溶解多种无机物和有机物，能跟水以任意比例互溶，故广泛用作溶剂。

二、乙醇的化学性质

1. 氧化反应

乙醇在空气里燃烧，发出淡蓝色的火焰，同时放出大量的热。实验室里常用乙醇作燃料。

$$C_2H_5OH + 3O_2 \xrightarrow{\text{点燃}} 2CO_2 + 3H_2O + 热量$$

【思考】 乙醇作为燃料，有什么优点？

2. 脱水反应

乙醇跟乙烷具有不同的化学特性，这是因为取代氢原子的羟基对于乙醇起着重要的作用。这种决定有机化合物化学特性的原子或原子团叫做**官能团**。乙醇分子里的官能团是羟基（—OH）。

乙醇和浓硫酸共热，可以使乙醇脱水。

【讨论】 根据乙醇的分子结构，推测每个乙醇分子内相邻的两个碳原子上脱去一个水分子生成什么新物质？

乙醇和浓硫酸加热到 170℃ 左右，每个乙醇分子内会脱去一个水分子生成乙烯。

$$\text{H}-\underset{\underset{\text{H}}{|}}{\overset{\overset{\text{H}}{|}}{\text{C}}}-\underset{\underset{\text{OH}}{|}}{\overset{\overset{\text{H}}{|}}{\text{C}}}-\text{H} \xrightarrow[170℃]{\text{浓 H}_2\text{SO}_4} \text{CH}_2\!=\!\text{CH}_2\uparrow + \text{H}_2\text{O}$$
$$\text{乙烯}$$

乙醇和浓硫酸加热到 140℃ 左右，每两个乙醇分子间会脱去一个水分子而生成乙醚。

$$\text{H}-\overset{\text{H}}{\underset{\text{H}}{\text{C}}}-\overset{\text{H}}{\underset{\text{H}}{\text{C}}}-\text{OH} + \text{HO}-\overset{\text{H}}{\underset{\text{H}}{\text{C}}}-\overset{\text{H}}{\underset{\text{H}}{\text{C}}}-\text{H} \xrightarrow[140℃]{\text{浓 H}_2\text{SO}_4}$$

$$\text{H}-\overset{\text{H}}{\underset{\text{H}}{\text{C}}}-\overset{\text{H}}{\underset{\text{H}}{\text{C}}}-\text{O}-\overset{\text{H}}{\underset{\text{H}}{\text{C}}}-\overset{\text{H}}{\underset{\text{H}}{\text{C}}}-\text{H} + \text{H}_2\text{O}$$
$$\text{乙醚}$$

【思考】 *为什么乙醇脱水会有不同的产物？*

乙醇的脱水反应随反应条件（温度）不同，脱水的方式不同，产物也不同。因此，我们可以根据物质的化学性质，按照实际需要，控制反应条件，使化学反应朝着我们需要的方向进行。

三、乙醇的工业制法和用途

1. 发酵法

工业上是用含淀粉丰富的物质为原料，如高粱、玉米、薯类等粮食作物。这些物质经过发酵，再进行蒸馏，可以得到95%的乙醇。目前，发酵法制取乙醇仍是一种重要方法。

2. 乙烯水化法

乙烯在加热、加压和催化剂存在的条件下，跟水反应生成乙醇。用这种方法制取乙醇叫做乙烯水化法。

$$CH_2=CH_2+H-OH \xrightarrow[加热加压]{催化剂} CH_3CH_2OH$$

乙烯水化法生产乙醇，成本低，产量大，能节约大量的粮食。随着石油化工的发展，这种方法越来越得到广泛的应用。

乙醇是有机化学工业的重要原料，也是优良的溶剂。乙醇大量用在塑料、农药、染料、饮料等生产中。在生产饮料时，不能用工业酒精作为原料，这是因为工业酒精中混有甲醇。甲醇有毒，饮用后，能使人眼睛失明，甚至死亡。医药上，常用75%的乙醇溶液作为消毒剂。

四、醇类

除乙醇外，还有一些在结构和性质上与乙醇很相似的物质，如甲醇（CH_3OH）、丙醇（$CH_3CH_2CH_2OH$）等。我们把**羟基与烃基直接相连的化合物叫做醇**。

醇的命名一般用系统命名法。系统命名法是选择含有羟基的最长碳链作为主链，把支链看做取代基。主链碳原子的编号从离羟基最近的一端开始，按照主链碳原子的数目称为某醇。取代基的位置用阿拉伯数字标在取代基名称的前面，羟基位置用阿拉伯数字标在醇的名称的前面。例如：

$$\overset{4}{C}H_3-\overset{3}{C}H_2-\overset{2}{C}H_2-\overset{1}{C}H_2-OH \qquad 1\text{-丁醇}$$

$$\overset{4}{C}H_3-\overset{3}{C}H_2-\underset{OH}{\overset{2}{C}H}-\overset{1}{C}H_3 \qquad 2\text{-丁醇}$$

$$\overset{3}{C}H_3-\underset{CH_3}{\overset{2}{C}H}-\overset{1}{C}H_2-OH \qquad 2\text{-甲基-1-丙醇}$$

$$\begin{array}{c} \text{CH}_3 \\ | \\ \text{CH}_3\text{—C—CH}_3 \\ | \\ \text{OH} \end{array}$$ 2-甲基-2-丙醇

分子里含有一个羟基的醇叫做一元醇,例如乙醇。由烷烃所衍生的一元醇,叫做饱和一元醇,它们的通式是 $C_nH_{2n+1}OH$,或简写为 R—OH。

分子里含有两个以上羟基的醇叫做多元醇。其中常见的是丙三醇。它的构造式如下:

$$\begin{array}{c} \text{CH}_2\text{—OH} \\ | \\ \text{CH—OH} \\ | \\ \text{CH}_2\text{—OH} \end{array}$$

丙三醇俗称甘油。它是一种无色而有甜味的黏稠液体,易溶于水,吸湿性强。它具有醇的一般化学性质,可用来制造硝化甘油、防冻剂、润滑剂和甜味剂等。

习 题

1. 乙醇的构造简式是_____,官能团是____,乙醇分子可以看做乙烷分子里的氢原子被____所____的产物。

2. 写出下列物质的构造简式:
(1) 2-甲基-2-丁醇　　　_____
(2) 2-甲基-3-戊醇　　　_____
(3) 甘油　　　　　　　_____

3. 写出下列物质的名称:
(1) CH_3CH_2—O—CH_2CH_3　　　_____
(2) $\begin{array}{c} \text{CH}_3\text{—CH—CH}_3 \\ | \\ \text{OH} \end{array}$　　　_____
(3) $CH_3CH_2CH_2CH_2OH$　　　_____

4. 写出下列反应的化学方程式,并注明反应的条件。
(1) 乙醇的燃烧。
　　_____　　反应类型____
(2) 用石油裂解气乙烯制取乙醇。
　　_____　　反应类型____
(3) 乙醇和浓硫酸共热到170℃。

· 66 ·

反应类型

第七节　乙酸

淀粉发酵制得的酒，在空气里醋酸菌的作用下，经过发酵，就转化成醋。醋的主要成分是乙酸，普通食醋中含有 3%～5% 的乙酸。

乙酸是重要的有机酸，醋酸是乙酸的俗称。乙酸的化学式是 $C_2H_4O_2$，构造简式是：$CH_3-\overset{\overset{O}{\|}}{C}-OH$，简写为 CH_3COOH。乙酸分子里的官能团是 $-\overset{\overset{O}{\|}}{C}-OH$（或 $-COOH$），叫做羧基。

乙酸分子比例模型如图 4—15 所示。

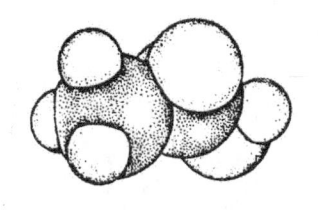

图 4—15　乙酸分子比例模型

一、乙酸的性质

1. 乙酸的物理性质

乙酸是一种有强烈刺激性气味的无色液体，沸点是 117.9℃，熔点是 16.6℃，当温度低于 16.6℃时，乙酸就凝结成冰状晶体，所以无水乙酸又称冰醋酸。乙酸易溶于水和乙醇。

2. 乙酸的化学性质

（1）酸性

乙酸是一种弱酸，在水溶液里能部分电离出氢离子，具有酸的通性。

$$CH_3COOH \rightleftharpoons CH_3COO^- + H^+$$

【实验 4—13】　在试管里加入碳酸钠溶液 2mL，再滴加醋酸溶液，观察现象。

【思考】

1. 比较乙酸跟碳酸的酸性强弱。
2. 为什么用醋能除去热水瓶胆里的垢迹？

乙酸虽是弱酸，但比碳酸的酸性强。

（2）酯化反应

乙酸在浓硫酸存在和加热的条件下,能跟乙醇反应,生成乙酸乙酯。

【实验4—14】 按图4—16所示的装置,在试管里加入3mL乙醇,然后一边摇动,一边慢慢地加入2mL浓硫酸和2mL冰醋酸,在水浴中加热试管10分钟后,将产生的蒸气经导管通到饱和的碳酸钠溶液的液面上,观察现象。

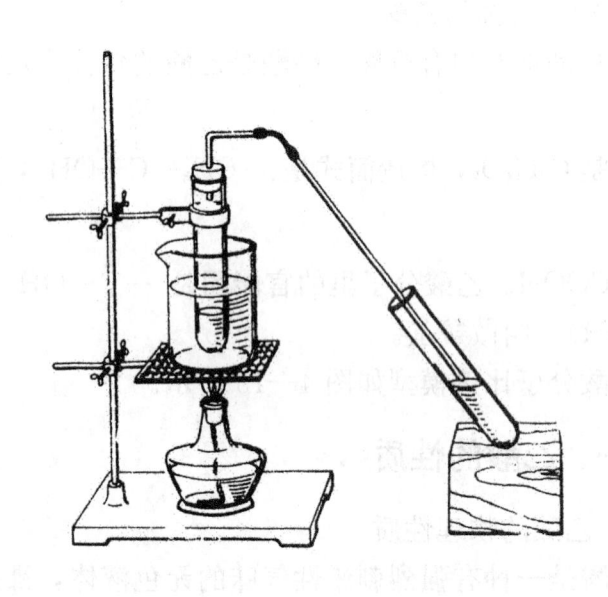

图4—16 酯化反应

从实验中可以观察到碳酸钠液面上有透明的油状液体生成,并可闻到一种香味。这种有香味的无色透明油状液体就是乙酸乙酯。反应的化学方程式是:

$$CH_3-\overset{\overset{O}{\|}}{C}-\boxed{OH + H}-O-C_2H_5 \xrightarrow[\triangle]{浓 H_2SO_4}$$
　　　乙酸　　　　　　乙醇

$$CH_3-\overset{\overset{O}{\|}}{C}-O-C_2H_5 + H_2O$$
　　乙酸乙酯

酸跟醇起反应,生成酯和水的反应叫酯化反应。

【练习】 写出乙酸跟甲醇反应的化学方程式,并写出生成物的名称。

二、乙酸的用途

乙酸是重要的有机化工原料，也是一种有机溶剂。在染料等生产过程中用途极为广泛。

三、羧酸

在有机化合物里，有一大类化合物，它们跟乙酸相似，分子里都含有羧基（—COOH）官能团。**分子里烃基与羧基直接相连的有机化合物叫做羧酸。**

表4—3里介绍了几种羧酸。

表 4—3　几种羧酸的构造简式和沸点

名称	构造简式	沸点 $t/℃$
甲酸	H—COOH	100.7
乙酸	CH$_3$—COOH	117.9
丙酸	CH$_3$—CH$_2$—COOH	140.99
丁酸	CH$_3$—CH$_2$—CH$_2$—COOH	163.5
苯甲酸	C$_6$H$_5$—COOH	249

羧酸分子里含有一个羧基的叫一元羧酸，其通式为R—COOH。在一元羧酸里，有些酸分子的烃基含有较多的碳原子，这样的羧酸叫做**高级脂肪酸**。例如，硬脂酸（C$_{17}$H$_{35}$COOH）、软脂酸（C$_{15}$H$_{31}$COOH）和油酸（C$_{17}$H$_{33}$COOH）等都是重要的高级脂肪酸。其中油酸的烃基里含有一个双键，属于不饱和高级脂肪酸，常温下呈液态；硬脂酸和软脂酸的烃基里没有不饱和键，属于饱和高级脂肪酸，常温下呈固态。

四、羟基酸和酮酸

羟基酸和酮酸都是在分子中具有两种不同官能团的化合物。分子中除了含有羧基外还含有羟基的化合物叫羟基酸。分子中除了含有羧基外还含有酮基（$-\overset{O}{\underset{\|}{C}}-$）的化合物叫酮酸。以下介绍两种在人体物质代谢中重要的羟基酸和酮酸。

1. 乳酸

$CH_3-CH-COOH$，即 2-羟基丙酸，因最初是从
    $|$
    OH

酸牛奶中发现的，故称做乳酸。乳酸也存在于人体组织中，人在剧烈运动后，感觉全身酸痛，这是由于肌肉中乳酸含量增加的缘故。经休息后，肌肉里的乳酸就转化为水、二氧化碳和糖。

乳酸在体内可以脱氢生成丙酮酸。

2. 丙酮酸

$CH_3-\overset{\|}{\underset{O}{C}}-COOH$ 是最简单的酮酸。它是人体内糖、脂肪、蛋白质代谢的中间产物。丙酮酸在体内也可被还原成乳酸。

$$CH_3-\underset{O}{\overset{\|}{C}}-COOH \underset{-2H(氧化)}{\overset{+2H(还原)}{\rightleftharpoons}} CH_3-\underset{OH}{\overset{|}{C}H}-COOH$$

    丙酮酸   乳酸

习 题

1. 选择题：

(1) 下列各温度中，最接近冰醋酸熔点的是（ ）

① 80℃   ② 78℃   ③ 16.6℃   ④ −88℃

(2) 在乙酸跟乙醇的反应中，浓硫酸起的作用是（ ）

① 脱水作用   ② 催化作用   ③ 氧化作用   ④ 催化作用和脱水作用

2. 填空：

（1）乙酸的构造简式为_____，官能团是_____。

（2）乙酸能使紫色石蕊试液变__色，它的电离方程式是_____。

（3）乙酸跟乙醇在浓硫酸作用下发生反应。写出该反应的化学方程式_____，该反应类型是_____。

（4）2-羟基丙酸的构造简式是_____，俗名叫_____，它脱___氧化生成_____。

（5）丙酮酸的构造简式是_____，它在人体内加___还原生成_____。

3. 写出乙酸跟下列物质起反应的化学方程式：

(1) 金属镁　(2) 生石灰（CaO）　(3) 氢氧化钠溶液　(4) 纯碱溶液

4. 写出下列物质间转化的化学方程式，注明反应的条件。

$$C_2H_4 \rightleftharpoons C_2H_5OH \longrightarrow CH_3COOC_2H_5$$
$$\downarrow$$
$$C_2H_5OC_2H_5$$

第八节　酯　油脂

一、酯的性质

乙酸乙酯是酯类化合物。**酯是由醇和含氧酸（无机酸或有机酸）相互作用生成的有机化合物。**

酯的一般通式是 RCOOR′。其中 R 和 R′ 可以相同，也可以不相同。酯类化合物是根据生成酯的酸和醇的名称来命名的。例如：

$$\underset{}{H-\overset{O}{\underset{\|}{C}}-OCH_3} \quad (HCOOCH_3) \quad 甲酸甲酯$$

$$CH_3-\overset{O}{\underset{\|}{C}}-OCH_3 \quad (CH_3COOCH_3) \quad 乙酸甲酯$$

酯类广泛存在于自然界里。低级酯是有芳香气味的液体，存在于各种水果和花草中。例如，梨子里含有乙酸异戊酯，苹果和香蕉里含有异戊酸异戊酯等。酯一般比水轻，难溶于水，易溶于乙醇和乙醚等有机溶剂。酯可用作溶剂，并用作制备饮料和糖果的香料。

酯的重要化学性质是能发生水解反应。

【实验4—15】 在三个试管里,各加入6滴乙酸乙酯。再向第一个试管里加蒸馏水5.5mL;向第二个试管里加稀硫酸(1:5)0.5mL、蒸馏水5mL;向第三个试管里加30%氢氧化钠溶液0.5mL、蒸馏水5mL。振荡均匀后,把三个试管都放入70~80℃的水浴里加热。观察现象。

可以观察到,几分钟后,在第三个试管里,乙酸乙酯的气味消失了。第二个试管里,还剩一点乙酸乙酯的气味,而第一个试管里乙酸乙酯的气味没有多大变化。实验证明,在有酸或碱存在的条件下,酯类与水发生水解反应,生成相应的酸和醇。例如,乙酸乙酯水解后生成乙酸和乙醇。

$$CH_3COOC_2H_5 + H_2O \xrightleftharpoons{\text{无机酸或碱}} CH_3COOH + C_2H_5OH$$

【思考】 酯的水解反应和酯化反应关系如何?反应条件有何区别?

酯的水解反应是酯化反应的逆反应。

二、油脂

油脂是人类的主要食物之一,也是重要的化工原料。人们食用的动物脂肪、花生油、菜油、豆油都称为油脂。

在室温下呈液态的称为油,呈固态的称为脂肪。油大多来自植物的种子,脂肪一般来自动物体。脂肪和油统称为油脂。

1. 油脂的组成和结构

油脂的化学组成是多种高级脂肪酸(硬脂酸、软脂酸或油酸等)跟甘油生成的甘油酯。所以,油脂属于酯类。油脂的结构可以表示如下:

$$\begin{array}{c} \quad\quad\quad O \\ \quad\quad\quad \| \\ R_1-C-O-CH_2 \\ \quad\quad\quad O \\ \quad\quad\quad \| \\ R_2-C-O-CH \\ \quad\quad\quad O \\ \quad\quad\quad \| \\ R_3-C-O-CH_2 \end{array}$$

结构式里 R_1、R_2、R_3 可以是饱和烃基,也可以是不饱和烃基,碳原子数目可以相同也可以不同。

2. 油脂的性质、用途

油脂比水轻，不溶于水，易溶于汽油、乙醚、苯等有机溶剂。工业上，利用这一性质，用有机溶剂来提取植物种子里的油。

油脂在酸的作用下，能水解得到甘油和相应的高级脂肪酸。即：油脂的水解。例如，硬脂酸甘油酯在酸存在的条件下发生水解：

$$\begin{array}{l}C_{17}H_{35}COO-CH_2\\ C_{17}H_{35}COO-CH \\ C_{17}H_{35}COO-CH_2\end{array} +3H_2O \underset{\triangle}{\overset{H_2SO_4}{\rightleftharpoons}}$$

硬脂酸甘油酯

$$3C_{17}H_{35}COOH + \begin{array}{l}CH_2-OH\\ CH-OH\\ CH_2-OH\end{array}$$

　　硬脂酸　　　　甘油

人体内的脂肪代谢，在催化剂酶的作用下，进行着同样的脂肪水解反应。

工业上根据这一反应原理，可用油脂为原料制取高级脂肪酸和甘油。

【讨论】 油脂在碱性条件下也能发生水解，试推测水解后得到什么产物？

在碱性条件下，油脂水解生成的高级脂肪酸盐就是肥皂。油脂在碱性条件下的水解反应又叫**皂化反应**。工业上，利用皂化反应来制取肥皂。

$$\begin{array}{l}C_{17}H_{35}COO-CH_2\\ C_{17}H_{35}COO-CH \\ C_{17}H_{35}COO-CH_2\end{array} +3NaOH \longrightarrow$$

硬脂酸甘油酯

$$3C_{17}H_{35}COONa + \begin{array}{l}CH_2-OH\\ CH-OH\\ CH_2-OH\end{array}$$

　　硬脂酸钠　　　　甘油

【思考】 油脂的下列用途是利用了它的什么性质？
1. 用于制造高级脂肪酸和甘油。
2. 用于制造肥皂。

食用油脂有丰富的营养，是人们的重要食物。但食用时要注意，酸败变质的油脂和高温下反复烹调的油不能吃。这是因为油脂含有不饱和双键，在空气及微生物的作用下，易发生复杂的氧化、水解反应，生成有害的物质，产生难闻的哈喇味。油脂在高温下会发生一些副反应，生成复杂的有害物质。

【阅读材料】

合成类固醇

脂类物质中除脂肪外，还有一种叫做类固醇的化合物，其中最常见的是胆固醇，它在体内可转变为帮助脂肪消化的胆汁酸盐，转变为促进生长发育的性激素等。雄激素是人体的一种重要激素，它具有如下多种生理功能：①促进组织蛋白的合成，使肌肉壮大，肌力增强；②促进骨骼生长，使骨质坚硬富于弹性，增加负荷能力；③增加能源贮备与动员能力；④促进红细胞的生成，提高有氧能力；⑤改善神经组织营养，提高神经肌肉的兴奋性。因此雄激素具有明显的提高运动能力的作用。

雄激素主要成分为睾酮。正常情况下，男子雄激素95％由睾丸所分泌，其余由肾上腺皮质分泌。女性也分泌少量雄激素，主要由肾上腺皮质分泌，卵巢也能分泌少量。男女之间雄激素分泌水平的差别是导致男、女运动能力差别的重要原因之一。

合成类固醇是人工合成的一类药物，主要是睾酮及其衍生物。一些运动生物化学家、运动员和教练员认为，优秀运动员成绩的出现，在一定程度上与体内高水平雄性激素所起的作用有密切的关系。基于这一认识，目前滥用合成类固醇已跃居兴奋剂使用的首位。合成类固醇作为一种药物其主要生理功能类似雄激素，长期大量使用的主要副作用表现为对肝脏的损害，诱发高血压、冠心病，男子睾丸萎缩，女子男性化。

习 题

1. 填空：
(1) 丙酸甲酯是_____和_____发生酯化反应的产物。这个反应的化学方程式是_____。

(2) _____叫做酯化反应。酯的水解反应是_____的逆反应。丙酸乙酯在氢氧化钠存在下发生水解反应的化学方程式为_____。

(3) 油脂是多种_____跟_____生成的_____。油脂属于_____类物质。它的密度比水____，____溶于水。通常，把呈液态的油脂叫做_____，把呈固态的油脂叫做_____。

(4) 油脂在_____条件下的_____反应叫做皂化反应。反应类型属于_____。

2. 写出下列反应的化学方程式：
(1) 甲酸跟甲醇反应。
(2) 软脂酸甘油酯在氢氧化钠存在条件下水解。

本章小结

一、有机化合物

有机化合物是指含碳元素的化合物，简称有机物。研究有机物的化学称为有机化学。

有机物种类繁多，大多数难溶于水而易溶于有机溶剂。大多数有机物是非电解质，不导电，熔、沸点较低。有机物的化学反应速度一般比较缓慢，常伴有副反应发生。

二、碳氢化合物（烃）是有机物的母体

1. 烷烃是饱和链烃，代表物是甲烷。烷烃一般比较稳定，但在特定条件下也能起取代、氧化以及加热分解等反应。

2. 烯烃是含有 C=C 双键的链烃，代表物是乙烯。烯烃是一种不饱和烃，易进行加成反应、氧化反应和聚合反应等。

3. 芳香烃是分子里含有一个或几个苯环的烃。苯是芳香族有机物的"母体"。苯的化学性质比较稳定，但在特定条件下也能起取代、加成和燃烧等反应。

三、各类烃代表物的结构、性质

	代表物	甲烷(CH$_4$)	乙烯(C$_2$H$_4$)	苯(C$_6$H$_6$)
结构	构造简式	CH$_4$	CH$_2$=CH$_2$	⌬
	结构特点	C—C 单键	C=C 双键	特殊的苯环结构
	通式	C$_n$H$_{2n+2}$	C$_n$H$_{2n}$($n \geqslant 2$)	C$_n$H$_{2n-6}$($n \geqslant 6$)
化学性质	燃烧	燃烧后都生成二氧化碳和水		
	取代反应	CH$_4$+Cl$_2$ $\xrightarrow{光照}$ CH$_3$Cl+HCl 可逐步取代生成 CH$_3$Cl、CH$_2$Cl$_2$、CHCl$_3$、CCl$_4$ 等取代物		C$_6$H$_6$+Br$_2$(液溴) $\xrightarrow{铁}$ C$_6$H$_5$Br+HBr C$_6$H$_6$+HO—NO$_2$(浓) $\xrightarrow{浓 H_2SO_4}$ C$_6$H$_5$NO$_2$+H$_2$O
	加成反应		CH$_2$=CH$_2$+Br$_2$ → CH$_2$Br—CH$_2$Br CH$_2$=CH$_2$+H$_2$ $\xrightarrow{催化剂}$ CH$_3$—CH$_3$ CH$_2$=CH$_2$+HCl $\xrightarrow[\triangle]{催化剂}$ CH$_3$—CH$_2$Cl CH$_2$=CH$_2$+H$_2$O $\xrightarrow[加热、加压]{催化剂}$ CH$_3$CH$_2$OH	⌬+3H$_2$ $\xrightarrow{催化剂}$ ⬡
	热分解	CH$_4$ $\xrightarrow{高温}$ C+2H$_2$↑		
	聚合反应		nCH$_2$=CH$_2$ $\xrightarrow{催化剂}$ ─[CH$_2$—CH$_2$]$_n$─	
	氧化反应	不能使酸性高锰酸钾溶液褪色	能使酸性高锰酸钾溶液褪色	不能使酸性高锰酸钾溶液褪色

四、烃的衍生物——几种代表物的结构、性质

代表物	乙醇(C_2H_5OH)	乙酸(CH_3COOH)	乙酸乙酯($CH_3COOC_2H_5$)
结构 通式	R—OH	$R-\overset{\overset{O}{\|\|}}{C}-OH$	$R-\overset{\overset{O}{\|\|}}{C}-OR'$
结构 官能团	—OH	$-\overset{\overset{O}{\|\|}}{C}-OH$	
化学性质	1. 氧化反应 $C_2H_5OH+3O_2 \xrightarrow{点燃} 2CO_2\uparrow + 3H_2O$ 2. 脱水反应 ① $CH_3CH_2OH \xrightarrow[浓H_2SO_4]{170℃} CH_2=CH_2\uparrow + H_2O$ ② $C_2H_5OH +$ $HO—C_2H_5 \xrightarrow[140℃]{浓H_2SO_4}$ $C_2H_5—O—C_2H_5 + H_2O$ 3. 酯化反应	1. 具有酸类通性 2. 能起酯化反应 $CH_3COOH + C_2H_5OH$ $\xrightleftharpoons[\triangle]{浓H_2SO_4} CH_3\overset{\overset{O}{\|\|}}{C}-OC_2H_5 + H_2O$	发生水解反应,生成羧酸和醇 $CH_3COOC_2H_5 + H_2O$ $\xrightleftharpoons[\triangle]{无机酸或碱} CH_3COOH + C_2H_5OH$

第五章　糖　蛋白质

在自然界里,糖类、蛋白质和脂肪都是动植物等进行生命活动的重要有机物。糖类是绿色植物吸收光能进行光合作用的产物,它把能量储存起来,又作为动、植物所需能量的重要来源。葡萄糖、蔗糖、淀粉、糖原和纤维素等都属于糖类。糖类也叫做碳水化合物。碳水化合物这个名称的得来,是由于最先发现的这类化合物都是由碳、氢、氧三种元素组成的,而且分子中氢原子和氧原子的个数比恰为 2∶1。碳水化合物的化学式可以用通式 $C_n(H_2O)_m$ 来表示(n 和 m 可以相同,也可以不同)。事实上,"碳水化合物"并不能反映出糖类物质的结构特点。在糖类化合物的分子里,氢和氧并不是以水的形式存在,而且已发现不少糖类化合物的分子里氢原子和氧原子的个数比并不等于 2∶1,如鼠李糖($C_6H_{12}O_5$);另外,有许多符合 $C_n(H_2O)_m$ 通式的物质也并不属于碳水化合物,如乙酸($C_2H_4O_2$)等。因此,碳水化合物早已失去它的原来意义,但习惯上至今仍旧沿用。

第一节　单糖

糖类可以分为单糖、低聚糖和多糖。**单糖**是不能再被水解的最简单的糖。单糖中最重要的是葡萄糖和果糖。

一、葡萄糖

葡萄糖是人体必需的营养物质。人和动物所需要的能量有 50% 以上来自糖类,糖类在人体中能转化为葡萄糖而被吸收,正常人的血液里约含有 0.1% 的葡萄糖。

在自然界里,葡萄糖主要存在于植物的浆汁、水果和蜂蜜里。

1. 葡萄糖的结构和性质

葡萄糖的化学式是 $C_6H_{12}O_6$,它是一种白色的晶体,有甜味，溶于水。它的构造式是：

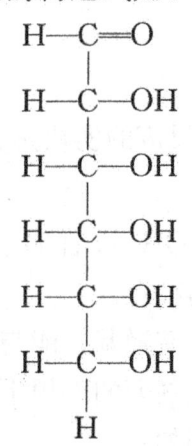

$$\begin{array}{c}H-C=O\\|\\H-C-OH\\|\\H-C-OH\\|\\H-C-OH\\|\\H-C-OH\\|\\H-C-OH\\|\\H\end{array}$$

构造简式是：

CH₂OH—CHOH—CHOH—CHOH—CHOH—CHO

实验证明，葡萄糖分子中含有一个醛基（—$\overset{O}{\overset{\|}{C}}$—H）和五个羟基，醛基在第一位置，五个羟基分别连接在不同的碳原子上。

【思考】分析葡萄糖分子中有哪些官能团。

葡萄糖分子中含有醛基，醛基的存在使葡萄糖具有下列性质：

葡萄糖能跟银氨溶液反应。

【实验5—1】在一支洁净的试管里，加入2%硝酸银溶液2mL，振荡试管，同时逐滴加入2%稀氨水，直到析出的沉淀恰好溶解为止。所得澄清溶液就是银氨溶液。在盛着银氨溶液的试管里加入10%葡萄糖溶液1mL，摇匀，在60℃左右的水浴中加热，观察现象。

从实验中可以观察到试管壁上有明亮的银镜析出。

工业上保温瓶瓶胆上银层的制作，就是利用葡萄糖能发生银镜反应的原理。

葡萄糖能跟新制的氢氧化铜反应。

【实验5—2】在一支试管里加入10%氢氧化钠溶液2mL，滴加5%硫酸铜溶液4～5滴。所得淡蓝色沉淀即为氢氧化铜。立即加入10%葡萄糖溶液1mL，在沸水浴中加热2～3分钟后，观察现象。

从实验中可以观察到有红色的氧化亚铜（Cu_2O）沉淀生成。

糖尿病患者的尿液里含有葡萄糖，医院里常用这种方法来诊断糖尿病。

以上两个实验，反应的实质是：醛基（—$\overset{O}{\overset{\|}{C}}$—H）被氧化成羧基（—$\overset{O}{\overset{\|}{C}}$—OH），证明了醛基具有还原性，常用此法来检验醛基的存在。

葡萄糖分子中含有羟基，能与酸作用生成酯，在人体内，葡萄糖在催化剂酶的作用下，可以和磷酸作用生成磷酸葡萄糖酯。例如：

葡萄糖　　　　　　　磷酸　　　　　　6-磷酸葡萄糖酯

2. 葡萄糖的制法

在工业上，葡萄糖的制备通常是用淀粉作原料，在硫酸等无机酸催化下，发生水解反应而制得。

$$(C_6H_{10}O_5)_n + n\,H_2O \xrightarrow{催化剂} nC_6H_{12}O_6$$

　淀粉　　　　　　　　　　葡萄糖

3. 葡萄糖的存在和用途

葡萄糖在人体组织里能发生氧化反应，并放出热量，供给机体活动所需要的能量。

$$C_6H_{12}O_6 + 6O_2 \longrightarrow 6CO_2 + 6H_2O + 2804\,千焦$$

葡萄糖在催化剂酒化酶的作用下，发生化学反应转变成酒精，这就是酿酒的主要过程。

$$C_6H_{12}O_6 \xrightarrow{催化剂} 2C_2H_5OH + 2CO_2$$

葡萄糖有广泛的用途，是婴儿常服的营养品之一，5%～10%的葡萄糖溶液可以用于病人输液，以补充营养。葡萄糖是制取维生素 C、B_2 和葡萄糖酸钙等药物的原料。

二、果糖

有甜味的水果，除了含有葡萄糖外，还含有果糖。果糖也是自然界中分布较广的一种单糖，也存在于蜂蜜中。纯净的果糖为无色晶体，通常是黏稠的液体，易溶于水。

果糖的化学式也是 $C_6H_{12}O_6$，和葡萄糖相同，但构造式不同，二者互为同分异构体。果糖的构造式是：

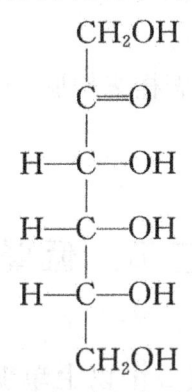

$$\begin{array}{c} CH_2OH \\ | \\ C=O \\ | \\ H-C-OH \\ | \\ H-C-OH \\ | \\ H-C-OH \\ | \\ CH_2OH \end{array}$$

果糖分子中第二个碳原子上含有酮基，五个羟基分别连接在其他碳原子上，所以果糖是一种多羟基酮。

果糖比葡萄糖甜，可供食用和医药上使用。

【练习】写出葡萄糖和果糖的构造简式，并比较二者在结构上的异同。

习　题

1. 填充：

（1）糖类都是由碳、氢、氧三种元素组成的，大多数糖类分子中的氧原子和氢原子的个数比是＿＿＿比＿＿＿，所以糖类最初叫做＿＿＿＿＿＿。这名称虽早已失去原来的意义，但习惯上仍旧沿用。

（2）糖类可以分成＿＿＿＿、＿＿＿＿和＿＿＿＿，其中不能水解生成更简单的糖类叫做＿＿＿＿＿＿。

（3）葡萄糖和果糖的分子组成＿＿＿＿，它们的化学式都是＿＿＿＿＿＿，但是它们的＿＿＿＿不同，所以二者互称为＿＿＿＿＿＿。

（4）葡萄糖是＿＿＿＿色晶体，＿＿＿＿溶于水。取葡萄糖溶液于试管中，加入新配制的氢氧化铜，加热煮沸后，可以看到溶液中有＿＿＿＿＿＿＿＿生成。葡萄糖是一种重要的营养物质,是人类生命活动所需能量的重要来源之一,它在人体组织里能发生_____反应,并放出热量。反应的化学方程式:_____。

(5) 1摩尔葡萄糖在人体组织中被氧化时全部变为二氧化碳和水,同时能放出2804kJ的热量。如果注射10%葡萄糖溶液500g,则能供给人体约_____ kJ的热量。

2. 写出下列反应的化学方程式:
(1) 在酶的作用下,葡萄糖跟磷酸反应,生成6-磷酸葡萄糖酯。
(2) 工业上以淀粉为原料制取葡萄糖。
(3) 用葡萄糖发酵制酒精。

3. 患有糖尿病的人其尿中含有葡萄糖,设想怎样去检验一个病人是否患有糖尿病?

第二节 低聚糖

糖类水解后生成2个以上单糖分子的叫做**低聚糖**(**寡糖**)。低聚糖又分为二糖、三糖等。其中最重要的是二糖,常见的二糖有蔗糖和麦芽糖。

一、蔗糖

蔗糖是人们食用的甜味品,它主要存在于甘蔗(含糖11%～17%)和甜菜(含糖14%～26%)里,也存在于其他植物中。

蔗糖的化学式是$C_{12}H_{22}O_{11}$,它是一种无色的晶体,有甜味,溶于水。

【实验5—3】在两个洁净的试管里,各加入10%的蔗糖溶液1mL,在其中一个试管里加入3滴稀硫酸(1:5),把两个试管都放在水浴上加热,然后在两个试管里各加入2mL银氨溶液试剂。对照,观察现象。

从上述实验可以看出,蔗糖不发生银镜反应,这是因为它的分子结构中不含有醛基。蔗糖不显还原性,是一种非还原性糖。

在加热和酸存在的条件下,蔗糖能发生水解,每一分子蔗糖水解后,生成一分子葡萄糖和一分子果糖。

$$C_{12}H_{22}O_{11}+H_2O \xrightarrow{催化剂} C_6H_{12}O_6+C_6H_{12}O_6$$
　　　蔗糖　　　　　　　　　葡萄糖　　果糖

因此，蔗糖水解后能发生银镜反应。

二、麦芽糖

麦芽糖主要存在于麦芽中，故称麦芽糖，饴糖是麦芽糖的粗制品。

麦芽糖是无色晶体，易溶于水，有甜味，但不如蔗糖甜。

麦芽糖的化学式也是 $C_{12}H_{22}O_{11}$，它和蔗糖互为同分异构体。

麦芽糖能发生银镜反应，因为它的分子结构中还含有醛基。麦芽糖是一种还原性糖。在稀硫酸或酶的催化下，麦芽糖发生水解反应，每一分子麦芽糖水解后生成两分子葡萄糖。

$$C_{12}H_{22}O_{11}+H_2O \xrightarrow{催化剂} 2C_6H_{12}O_6$$
　　　麦芽糖　　　　　　　　　葡萄糖

【思考】怎样鉴别麦芽糖和蔗糖两种无色溶液？现象有何不同？

从麦芽糖和蔗糖的水解反应可以看出，二糖水解后能够生成两分子的单糖，而单糖是不能水解的简单糖类。

麦芽糖是用含淀粉较多的农产品如大米、玉米、薯类等作为原料，在硫酸或淀粉酶（存在于麦芽里）的作用下，在约 60℃时，发生水解反应而生成的。

$$2(C_6H_{10}O_5)_n+nH_2O \xrightarrow{催化剂} nC_{12}H_{22}O_{11}$$
　　淀粉　　　　　　　　　　　麦芽糖

在人体的消化过程中，淀粉在淀粉酶的作用下，水解为麦芽糖。肠液中的麦芽糖酶，可进一步将麦芽糖水解为葡萄糖。

习　题

1. 填充：

(1)葡萄糖是重要的_____糖，蔗糖是重要的_____糖。麦芽糖和蔗糖的化学式都是_____，两者互称为_____体。

（2）一分子的蔗糖或麦芽糖水解都生成_____的单糖，所以它们都属于二糖。

（3）鉴别葡萄糖和蔗糖两种无色溶液的试剂是_____，现象是_____。

2. 写出下列转变的化学方程式，并说明反应条件。

$$(C_6H_{10}O_5)_n \longrightarrow C_{12}H_{22}O_{11} \longrightarrow C_6H_{12}O_6$$
淀粉　　　　麦芽糖　　　葡萄糖

3. 设计一个实验，证明在稀硫酸的催化作用下，蔗糖水解生成物中有葡萄糖。

第三节　多糖

多糖是由许多单糖分子按照一定方式，通过在分子间脱去水分子缩合而成的。多糖水解时能生成许多分子单糖。多糖在性质上与单糖和二糖有较大的差别，一般不溶于水，没有甜味，没有还原性。常见的多糖有淀粉、糖原、纤维素。它们的化学式可用通式 $(C_6H_{10}O_5)_n$ 表示。淀粉、糖原和纤维素的分子里所包含的单糖单元 $(C_6H_{10}O_5)$ 的数目不同，即 n 值不同，它们的结构也不同。

一、淀粉

1. 淀粉的存在和结构

淀粉是绿色植物进行光合作用的产物，是植物体内的贮存物质。常以颗粒状存在于植物的种子和块茎中。如大米约含淀粉80%，小麦约含70%，玉米约含50%，马铃薯约含20%等。还有许多水果里也含有淀粉。

天然淀粉包含有直链淀粉和支链淀粉两种。

直链淀粉在淀粉中约占20%。其相对分子质量约为32000～160000，相当于200～980个葡萄糖单元连接组成的直链大分子化合物。如以小圈表示葡萄糖单元，则直链淀粉的结构如图5—1所示。

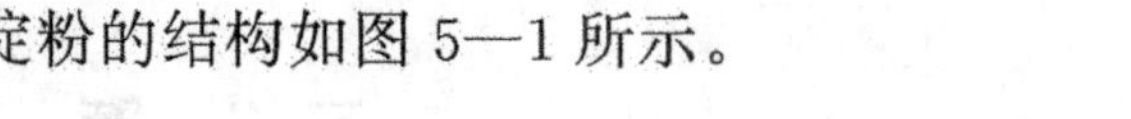

图5—1　直链淀粉结构

支链淀粉在淀粉中约占80%。其相对分子质量约为100000～1000000，相当于600～6000个葡萄糖单元连接组成的支链大分子化合物。支链淀粉的结构如图5—2所示：

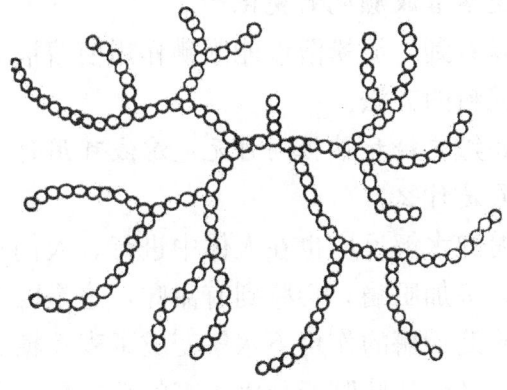

图5—2 支链淀粉的结构

2. 淀粉的性质

(1) 物理性质

淀粉是白色、无臭、无味、粉末状的物质，没有甜味，不溶于冷水，在热水里，淀粉颗粒会膨胀破裂，破裂后直链淀粉溶解在水里，支链淀粉则形成淀粉糊。我们用面粉制糨糊时，先用冷水把面粉调成均匀的悬浊液，然后再加热搅拌制成糨糊，就是这个道理。

(2) 化学性质

淀粉在酸性条件下能发生水解而生成葡萄糖。

$$(C_6H_{10}O_5)_n + n\ H_2O \xrightarrow[\triangle]{催化剂} n\ C_6H_{12}O_6$$
　　淀粉　　　　　　　　　　　葡萄糖

【实验5—4】将0.5g淀粉放入试管里，加入4mL水，振荡，然后在试管中加入3mL新制氢氧化铜试剂，加热至沸，观察现象。

另取一支试管，装入0.5g淀粉，加入4mL 20%的硫酸溶液，加热1～2分钟后，冷却，滴入少量氢氧化钠溶液，使溶液呈中性，再加入3mL新制氢氧化铜试剂，加热至沸，观察现象。

从实验中可以看到，淀粉不能与新制氢氧化铜反应，但在酸性条件下加热后的溶液中，加入新制氢氧化铜有红色沉淀生成，说明淀粉已发生水解生成葡萄糖。

淀粉能跟碘发生显色反应。

【实验5—5】将切去表皮、捣碎的土豆放入试管里，加入4mL水，给试管加热。待溶液冷却后，滴加1滴碘溶液，观察溶液颜色的变化。

可以看到，淀粉溶液能跟碘作用使溶液呈蓝色，这是检验淀粉的方法。

【思考】淀粉和蔗糖两种无色溶液可用什么试剂来鉴别？现象是什么？

淀粉的水解反应也在人体中进行。人们在吃馒头或米饭时，多加咀嚼，会感到有甜味，这是因为淀粉在唾液所含的淀粉酶的作用下水解变成了麦芽糖。食物进入小肠后，又受到胰脏所分泌出来的淀粉酶的作用，继续水解，生成葡萄糖，然后通过小肠肠壁，被吸收入血液中，成为人体组织的营养物质。

3. 淀粉的用途

淀粉是食物的一种重要成分，工业上用淀粉来制取葡萄糖，还可进一步制取乙醇和乙酸等化工产品。

二、纤维素

纤维素是自然界分布很广的一种多糖，存在于一切植物体内，是构成植物细胞壁的主要成分，是植物体的支撑物质。例如：棉花约含纤维素92%～95%，大麻和亚麻中约含纤维素70%～80%，木材约含纤维素50%，蔬菜中也含有较多的纤维素。

纤维素和淀粉都可用化学式$(C_6H_{10}O_5)_n$表示，但它们的n值不同，相对分子质量也不同，淀粉相对分子质量一般从几万到几十万，而纤维素一般为几十万至几百万。纤维素的结构和直链淀粉相似，但它排列得更为紧密。

纤维素是白色、无臭、无味、具有纤维状结构的物质，不溶于水，也不溶于一般的有机溶剂。

和淀粉一样，纤维素在酸性条件下也能发生水解而生成葡萄糖。

$$(C_6H_{10}O_5)_n + n\ H_2O \xrightarrow[\triangle]{酸} n\ C_6H_{12}O_6$$

纤维素　　　　　　　　　　葡萄糖

淀粉能跟碘发生显色反应,而纤维素则不能。

【实验5—6】将碎滤纸片放入试管里,加入4mL水,给试管加热。待溶液冷却后,滴加1滴碘溶液,观察现象。

可以看到纤维素不能跟碘作用而使溶液变色。

纤维素在人体消化道里不能被水解,因为人的消化道里没有使纤维素水解的酶,因此纤维素不能直接作为人的营养物质。但在食草动物的消化道里含有能水解纤维素的特殊细菌,这种细菌能分泌出纤维素酶,使纤维素水解生成葡萄糖,从而成为食草动物的营养物质。

三、糖原

糖原是人和动物体内储存葡萄糖的一种形式,是葡萄糖在体内通过分子间脱水而形成的一种多糖,所以又叫做动物淀粉。糖原主要存在于动物的肝脏和肌肉中,因此又有肝糖原和肌糖原之分。人体中约含糖原400克。

糖原是白色粉末,易溶于水而不呈糊状,遇碘显红棕色。

糖原的结构和支链淀粉相似,但糖原的支链更多更稠密,其相对分子质量更大。糖原的结构如图5—3所示。

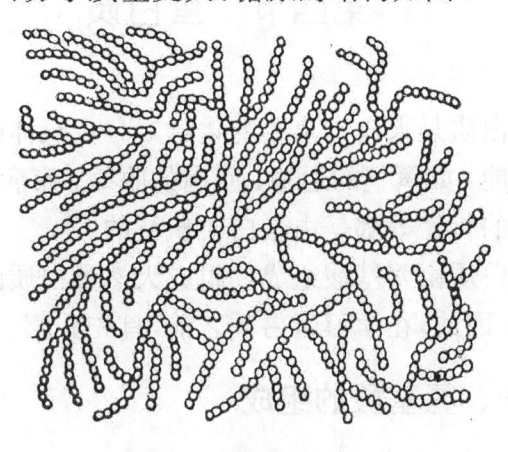

图5—3 糖原的结构

肝糖原在人体内对维持血糖浓度起着重要的作用,当血液中葡萄糖含量增高时,肝脏就把多余的葡萄糖变成糖原储存起来。当血液中葡萄糖含量降低,肝糖原就分解为葡萄糖进入血液以保持血糖浓度。

习　题

1. 填充：

(1) 多糖是由很多个_____按照一定的方式,通过分子间_____结合而成的。_____、_____和_____是常见的最重要的多糖。

(2) 多糖跟单糖、低聚糖在性质上不同。多糖一般不溶于_____,没有_____,在化学反应中,对银氨溶液不显示_____性。

(3) 淀粉、纤维素和糖原在稀酸或酶作催化剂的作用下都能发生_____反应,反应后的最终产物是_____。反应的化学方程式是_____。

(4) 淀粉、纤维素和糖原的通式都是_____。它们分子里所包含的_____单元数目不同,在结构上也_____ (相同、不同)。

(5) 糖原主要存在于人的_____和_____中,因此又有_____和_____之分。当人体血液中葡萄糖含量增高时,_____就把多余的_____变成_____储存起来,当血液中_____含量降低,_____就分解为_____,后者进入血液以保持血糖浓度的恒定。

2. 怎样证明淀粉已经水解为葡萄糖？又用什么方法来检验淀粉已完全水解？

3. 在人体内纤维素为什么不易转化为葡萄糖？

第四节　蛋白质

蛋白质是人体内重要的化学成分,机体的各种重要生理机能,如氧气的运输、肌肉的收缩、疾病的防御、遗传信息的传递等都是由蛋白质执行的。

蛋白质由氨基酸组成。组成天然蛋白质的氨基酸约有20种。因此,在学习蛋白质之前,首先介绍一下氨基酸。

一、氨基酸的组成

分子中含有氨基（—NH₂）的羧酸,叫氨基酸。 α-氨基酸分子的构造通式如下：

$$H_2N-\underset{\underset{H}{|}}{\overset{\overset{R}{|}}{C}}-COOH$$

上面的构造式中，R 代表连接在碳原子上的基团。基团不同，构成的氨基酸也不同。例如：

甘氨酸（氨基乙酸）

$$\begin{array}{c} CH_2-COOH \\ | \\ NH_2 \end{array}$$

丙氨酸（α-氨基丙酸）

$$\begin{array}{c} CH_3-CH-COOH \\ | \\ NH_2 \end{array}$$

苯丙氨酸（α-氨基-β-苯基丙酸）

$$\begin{array}{c} C_6H_5-CH_2-CH-COOH \\ | \\ NH_2 \end{array}$$

上述氨基酸都是 α-氨基酸，即羧酸分子里的 α 氢原子（即离羧基最近的碳原子上的氢原子，离羧基次近的碳原子上的氢原子依次为 β 氢原子等）被氨基取代的生成物。

氨基酸的分子里既有酸性基（羧基），又有碱性基（氨基），当一分子氨基酸中的羧基与另一分子氨基酸中的氨基相互作用，脱去一分子水即形成了肽键（—CO—NH—）。氨基酸通过肽键连接而成的化合物称为肽。由两个氨基酸分子脱水缩合而形成的含有一个肽键的化合物叫做二肽，其化学方程式如下：

$$\begin{array}{c} H_2N-CH-CO-\boxed{OH+H}-NH-CH-COOH \longrightarrow \\ \quad\quad | \quad\quad\quad\quad\quad\quad\quad\quad\quad\quad\quad\quad | \\ \quad\quad R \quad\quad\quad\quad\quad\quad\quad\quad\quad\quad\quad\quad R' \end{array}$$

$$\begin{array}{c} H_2O+ H_2N-CH-\underbrace{CO-NH}_{\text{肽键}}-CH-COOH \\ \quad\quad\quad\quad\quad | \quad\quad\quad\quad\quad\quad\quad\quad | \\ \quad\quad\quad\quad\quad R \quad\quad\quad\quad\quad\quad\quad\quad R' \end{array}$$

二肽

由多个氨基酸分子通过肽键而形成的化合物是多肽。多肽通常呈链状。蛋白质水解先得到多肽；多肽进一步水解，最后得到 α-氨基酸。多肽和蛋白质之间没有严格的区别，一般常将相对分子质量小于 10000 的叫做多肽。

【思考】各种氨基酸在结构上的共同特点是什么？

二、蛋白质的组成及性质

1. 自然界的蛋白质

蛋白质广泛存在于生物体内，是组成细胞的基础物质。动物的肌肉、皮肤、血液、乳汁以及发、毛、蹄、角等都是由蛋白质构成的。植物的各种器官也都含有蛋白质，例如，小麦的种子里约含18%蛋白质。所有的酶都是蛋白质。

2. 蛋白质的组成和结构

蛋白质含有碳、氢、氧、氮、硫等元素。蛋白质的相对分子质量非常大，有几万、几十万，个别的甚至上千万。如牛奶里所含的蛋白质的相对分子质量为75000～375000。

蛋白质是由 α-氨基酸以肽键形式连接起来构成的化合物。因此，α-氨基酸是组成蛋白质分子的基本单位。表5—1列出了一些常见的氨基酸。

表5—1　组成蛋白质的20种氨基酸

名称（简称）	结构式
甘氨酸（甘）	$H-CH(NH_2)-COOH$
丙氨酸（丙）	$CH_3-CH(NH_2)-COOH$
缬氨酸（缬）	$CH_3-CH(CH_3)-CH(NH_2)-COOH$
亮氨酸（亮）	$CH_3-CH(CH_3)-CH_2-CH(NH_2)-COOH$
异亮氨酸（异亮）	$CH_3-CH_2-CH(CH_3)-CH(NH_2)-COOH$
丝氨酸（丝）	$CH_2(OH)-CH(NH_2)-COOH$

续表

名称（简称）	结　构　式
苏氨酸 （苏）	CH₃—CH—CH—COOH 　　　|　　| 　　　OH　NH₂
苯丙氨酸 （苯）	C₆H₅—CH₂—CH—COOH 　　　　　　| 　　　　　　NH₂
酪氨酸 （酪）	HO—C₆H₄—CH₂—CH—COOH 　　　　　　　　| 　　　　　　　　NH₂
色氨酸	(吲哚基)—CH₂—CH—COOH 　　　　　　　| 　　　　　　　NH₂
半胱氨酸 （半）	CH₂—CH—COOH |　　| SH　NH₂
蛋氨酸 （蛋）	CH₃—S—CH₂—CH₂—CH—COOH 　　　　　　　　　　| 　　　　　　　　　　NH₂
脯氨酸 （脯）	(吡咯烷)—COOH
天冬酰胺 （天—NH₂）	H₂N—CO—CH₂—CH—COOH 　　　　　　　| 　　　　　　　NH₂
谷氨酰胺 （谷—NH₂）	H₂N—CO—CH₂—CH₂—CH—COOH 　　　　　　　　　　| 　　　　　　　　　　NH₂
天冬氨酸 （天）	HOOC—CH₂—CH—COOH 　　　　　　| 　　　　　　NH₂
谷氨酸 （谷）	HOOC—CH₂—CH₂—CH—COOH 　　　　　　　　| 　　　　　　　　NH₂
赖氨酸 （赖）	H₂N—CH₂—(CH₂)₃—CH—COOH 　　　　　　　　　| 　　　　　　　　　NH₂

续表

名称（简称）	结 构 式
精氨酸（精）	$H_2N-\overset{\overset{NH}{\|}}{C}-NH-(CH_2)_3-\overset{\overset{}{}}{\underset{\underset{NH_2}{\|}}{CH}}-COOH$
组氨酸（组）	$\underset{N\ \ NH}{[\text{咪唑环}]}-CH_2-\underset{\underset{NH_2}{\|}}{CH}-COOH$

  由各种不同的 α-氨基酸按一定的排列顺序，通过肽键互相连结而构成多肽链，是蛋白质分子的基本结构，叫做一级结构。有的蛋白质分子是由一条多肽链构成的，有的蛋白质分子是由两条或几条多肽链构成的。多肽链经过卷曲、折叠和盘绕形成其特殊的空间构型叫做蛋白质的二级结构、三级结构或四级结构，如图5—4所示。

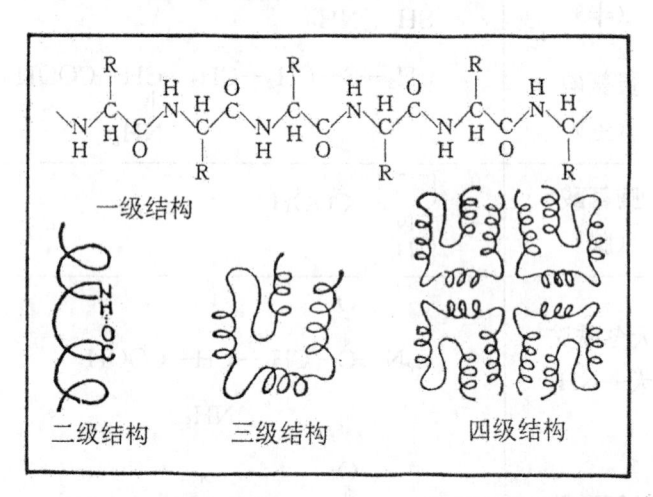

图5—4　蛋白质的一、二、三、四级结构示意图

  每一种蛋白质都有特定的空间构型。由于蛋白质的相对分子质量很大，组成蛋白质的氨基酸种类、数目和排列顺序各不相同，加上多肽链盘绕折叠的情况不一，所以，蛋白质的结构很复杂，种类繁多。

  研究蛋白质的结构和合成，进一步探索生命现象，这是科学研究中的重要课题。1965年我国科学家在世界上第一次用人工方法合成了具有生命活力的蛋白质——结晶牛胰岛素。这对蛋白质和生命的研究作出了贡献。

3. 蛋白质的分类

蛋白质根据其组成的特点，可分为单纯蛋白质和结合蛋白质。单纯蛋白质是指只有氨基酸组成的蛋白质，如鸡蛋中的卵清蛋白等。结合蛋白质则是由单纯蛋白质和非蛋白质部分（辅基）结合而成的蛋白质，如血红蛋白是由珠蛋白和辅基血红素结合而成的。

4. 蛋白质的性质

蛋白质是由 α-氨基酸通过肽键构成的相对分子质量很大的化合物，所以它可以水解成为各种氨基酸。除此以外，还有以下性质：

(1) 盐析（可逆凝结）

【实验5—7】在盛有鸡蛋清溶液的试管里，缓慢地加入饱和的硫酸铵或硫酸钠溶液，观察现象。

另取一支盛有清水的试管，将上述实验得到的液体倒入试管中，观察现象。

实验表明，鸡蛋清等蛋白质能溶解于水，加入某些无机盐，如 $(NH_4)_2SO_4$、Na_2SO_4 等浓溶液后，可使蛋白质凝聚，而从溶液中析出。这种作用叫做**盐析**。这样析出的蛋白质仍旧可以再溶解在水里，而不影响原来蛋白质的性质。因此，盐析是个可逆过程。利用这个性质，可以采用多次盐析的方法来分离、提纯蛋白质。

(2) 变性（不可逆凝结）

【实验5—8】在两个试管里分别加入 3mL 鸡蛋清溶液，将一个试管加热，向另一个试管里加入少量的乙酸铅溶液，观察现象。

将上述实验的生成物分别倒入两个盛有蒸馏水的试管中，观察现象。

可见，鸡蛋清中加入乙酸铅溶液或加热后，都有沉淀产生，且沉淀在水中不再溶解。

蛋白质在热、酸、碱、重金属盐、紫外线等作用下，分子的空间结构发生了某些改变（图5—5），致使蛋白质的某些性质也随着发生了改变，而凝结起来。这种凝结是不可逆的，不能再使它们恢复成为原来的蛋白质。蛋白质的这种变化叫做**变性**。蛋白质变性后，失去了生理活性。

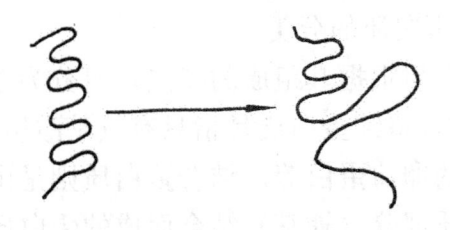

未变性蛋白的规则结构　变性蛋白的散漫结构

图 5—5　蛋白质变性示意图

【讨论】
1. 为什么用煮沸的方法可以消毒？
2. 如果误服了重金属盐，为什么会使人中毒？又为什么可以服用大量的牛乳、蛋清或豆浆来解毒？

高温消毒灭菌；用酒精、苯酚溶液杀菌；用福尔马林固定动物标本等，都是利用了蛋白质的变性作用。

(3) 颜色反应

【实验 5—9】在试管中放入 2mL 鸡蛋清溶液，再加入等量的 10％氢氧化钠溶液，摇匀。再加入 3 滴 5％硫酸铜溶液，振荡，观察现象。

在蛋白质溶液中加入碱和少量的硫酸铜，溶液呈现紫红色。这个反应称缩二脲反应。根据这个反应，可以检验蛋白质的存在。

此外，蛋白质被灼烧时，产生具有烧焦羽毛的气味。

【讨论】鉴别棉织物和毛织物一般可采取什么方法？

三、血红蛋白简介

蛋白质的种类很多，常见的有血红蛋白。血红蛋白存在于血液中的红细胞内，是红细胞的主要成分，也是使红细胞呈现红色的物质。

血红蛋白的分子组成可简单表示如下：

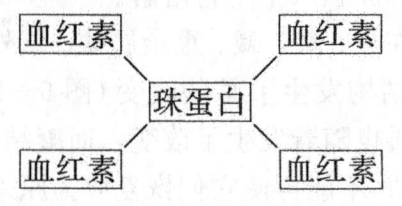

```
血红素        血红素
    \        /
     珠蛋白
    /        \
血红素        血红素
```

血红蛋白是由一分子珠蛋白与四分子血红素结合而成的一种结合蛋白质。血红素是血红蛋白的辅基。

血红蛋白在体内起着运输氧气、二氧化碳和调节体内酸碱平衡的生理作用。吸进肺里的氧气跟血红蛋白化合后,变成颜色鲜红的动脉血。通过血液循环,把氧气输送到全身各个组织,然后把二氧化碳带回释放到体外。运动时,机体需要氧气数量增加,故血红蛋白增加,有利于氧供应。反之,氧供应减少,影响运动能力。血红蛋白正常值男性成人为 130g/L 以上,女性成人为 120g/L 以上,贫血者低于正常值。

习 题

1. 选择:

(1) 下列有机物中,属于 α-氨基酸的是 ( )。

① CH_3COONH_4 ② CH_2-CH_2-COOH 中带 NH_2
③ CH_2COOH 带 NH_2 ④ 苯环$-CH_2-CH-CH_3$ 带 NH_2

(2) 我国科学家在世界上第一次合成的结晶牛胰岛素是一种 (   )。
①糖   ②氨基酸   ③纤维素   ④具有生命活力的蛋白质

(3) 蛋白质水解的最终产物是 ( )。
① α-氨基酸   ② 多肽   ③ 二肽   ④ β-氨基酸

(4) 福尔马林是一种良好的杀菌和防腐剂。因为它能使细菌细胞的蛋白质发生 ( )。
①盐析   ②显色   ③溶解   ④变性

(5) 下列叙述蛋白质,正确的是 (   )。
①不同的蛋白质它们的空间构型都相同。
②每一种蛋白质都有特殊的空间构型。
③蛋白质的盐析即蛋白质的变性。
④蛋白质的盐析,因为改变了蛋白质的原来性质,所以,不能用多次盐析方法来分离蛋白质。

2. 填充:

(1) 一切氨基酸分子都有_____和_____两种官能团。

(2) 在蛋白质水溶液中缓慢地加入饱和硫酸钠溶液,可以观察到_____现象。蛋白质这种遇浓的盐溶液而使其溶解度降低的作用叫_____。这种过程是_____（可逆、不可逆）的。

（3）蛋白质溶液遇重金属盐会发生性质上的改变而_____起来，这种变化是_____（可逆、不可逆）的，蛋白质的这种变化叫做_____。

（4）由于蛋白质的相对分子质量_____，组成蛋白质的氨基酸_____各不相同，氨基酸的排列_____也不相同，加上多肽链的_____情况不一，所以蛋白质的结构_____，种类繁多。

3. 写出甘氨酸和丙氨酸结合生成二肽的化学方程式。

4. 在三支试管里分别盛有淀粉、葡萄糖和蛋白质溶液，怎样鉴别它们？

5. 为什么硫酸铜和氯化汞溶液可以用来消毒杀菌？

本章小结

蛋白质和糖类都是我们主要的营养物质。它们也都是烃的衍生物，但结构比较复杂，是具有多种官能团的化合物，而且很多是高分子化合物（相对分子质量很大的化合物）。

一、糖类

（1）单糖：单糖是不能水解的最简单的糖。葡萄糖是一种多羟基醛。它具有还原性，易被氧化，跟磷酸作用生成磷酸酯。果糖是葡萄糖的同分异构体。

（2）低聚糖：水解后能生成两个或几个分子的单糖。低聚糖中最重要的是二糖，蔗糖和麦芽糖是常见的二糖。蔗糖没有还原性，但麦芽糖具有还原性。它们水解都能生成两分子单糖。蔗糖和麦芽糖是同分异构体。

（3）多糖：水解后能生成多个分子的单糖，它是一类高分子化合物。淀粉、纤维素和糖原是重要的多糖，它们都不具有还原性。

二、蛋白质

蛋白质经水解，生成 α-氨基酸。氨基酸既显酸性，又显碱性。蛋白质是由多个 α-氨基酸以肽键互相结合而构成的高分子化合物。少量的盐可促进蛋白质溶解，多量的盐可使蛋白质从溶液中盐析出来。蛋白质在加热、重金属盐等作用下，会发生变性而凝结。

第六章 酶

第一节 酶的性质和组成

一、酶的概念

生命的基本特征是物质代谢,物质代谢一旦停止,生命也就终结。物质代谢是由各种各样的化学反应所组成。人类能在几小时内将吃进的动、植物食物消化为小分子物质,用以营养自己,这是因为体内的化学反应在以惊人的速度进行。一般催化剂能够加快化学反应速度,但必须在高温、高压、强酸或强碱等剧烈条件下方能进行。而人体内的化学反应却是在一个极温和的环境中,以更快的速度进行。这是因为生物体内有一类特殊的生物催化剂,通常被称为酶。不同的生化反应由不同的酶催化,从而保证了生物体内各种化学反应按顺序、有条不紊地进行。

生物体内的各种化学反应,都是在酶的催化下进行,目前已发现的酶有两千多种。研究表明,不论是哪一种酶,它们的化学本质都是蛋白质。蛋白质易受外界条件的影响,在一些物理、化学因素的影响下容易发生分子结构的不可逆改变,故催化反应要保持在正常生理条件下进行,否则引起蛋白质变性,将导致酶活性(指催化能力)的下降或丧失,直接危害生命活动的正常进行。因此我们可以说:**酶是一类由活细胞产生的,具有催化功能的特殊蛋白质。**

【讨论】什么是酶?

二、酶催化反应的特点

酶除具有催化可逆反应,加速化学反应到达平衡点,在反应中本身不发生质和量的变化等一般催化剂的特性外，还具有下列独特的催化特点。

1. 高效性

酶的催化效率极高，催化的反应速度比非酶催化的反应一般要快一百万到一千万倍。如人体血液中红细胞内的碳酸酐酶就是已知的反应最快的酶之一，此酶催化二氧化碳与水合成碳酸及碳酸分解为二氧化碳和水的反应：

$$CO_2 + H_2O \xrightleftharpoons{\text{碳酸酐酶}} H_2CO_3$$

因而，在生物细胞内，酶表现出量微而催化功效极高的特点。

2. 专一性

一般催化剂通常可催化同一类型的化学反应，例如：H^+（如盐酸）既能催化淀粉水解，又能催化脂肪和蛋白质水解。而酶催化的反应则完全不同，对其催化的底物（指能被酶催化的分子）有严格的选择性，例如：淀粉酶只能水解淀粉，脂肪酶只能水解脂肪，蛋白酶只能水解蛋白质，它们不能相互进行催化作用。表现出催化作用的高度专一性。

3. 不稳定性

酶是蛋白质，容易受许多理化因素（例如高温、强酸、强碱等）的作用而发生变性失去催化能力，表现其不稳定性。因此，酶催化反应需在常温、常压、pH接近中性的温和条件下进行反应。

由于酶催化的这些特点，从而使得人体在生命活动过程中的各种化学反应得以有条不紊地进行，适应于内外环境的变化。

三、酶的组成与结构

1. 酶的化学组成

酶是蛋白质，有的酶为单纯蛋白，其分子组成全为蛋白质，不含非蛋白物质，称为单纯酶，如消化道分泌的蛋白酶、脂肪酶和淀粉酶等水解酶。有的酶为结合蛋白，其分子中除单纯蛋白外，还有非蛋白物质，称为结合酶，如乳酸脱氢酶等氧化还原酶。

(1) 酶蛋白与辅酶

结合酶的蛋白质部分称为酶蛋白，非蛋白质部分称为辅酶(或辅基)，酶蛋白与辅酶组成完整分子称为全酶。

全酶＝酶蛋白＋辅酶

单纯酶的蛋白质本身具有催化活性，而结合酶只有全酶才起催化作用，酶蛋白和辅酶单独存在时都不起催化作用。

有些辅酶与酶蛋白结合紧密，不易分开，有的结合疏松，前者称为辅基，后者称为辅酶。

决定酶特异性的是酶蛋白；而辅酶决定酶催化反应的类型，它在酶的催化反应中起传递电子、原子或原子团的中间载体作用。酶蛋白的种类很多，一种酶蛋白只能与一种辅酶结合成一种全酶；辅酶种类不多，往往同一种辅酶能与多种酶蛋白结合成全酶。如乳酸脱氢酶和苹果酸脱氢酶，这两种酶的辅酶相同，同是辅酶Ⅰ(NAD)，然而酶蛋白不同。它们虽然能同样起催化脱氢作用，但前者只能使底物乳酸脱氢，而后者只能使苹果酸脱氢。

(2) 维生素与辅酶

维生素是维持人体正常代谢所必需的一类微量营养素，化学本质是低分子有机化合物。多数维生素是构成某些酶的辅酶或辅基的成分。人体内重要的辅酶及其组成的维生素与主要催化反应如表6—1所示。

人体维生素主要从食物中获得，少数可以在体内合成或由肠道细菌产生后被人体摄取。人体对各种维生素的需要量甚微，一般仅需毫克或微克水平。但是，它们多数在体内不能合成，必须从食物供给。当维生素长期供给不足时，可引起人体代谢失调和机能障碍，导致维生素缺乏症。此外，人体对维生素的吸收障碍，人体对维生素需要量增加得不到及时补充，长期口服抗菌药物抑制肠道细菌生长，从而减少合成维生素等情况下，也可导致维生素的不足或缺乏。运动员及经常参加体育锻炼的人，体内物质能量代谢大大加强，需要量比一般人要多，当维生素缺乏时将影响运动能力，甚至影响健康。

表 6—1 辅酶及其组成的维生素与主要催化反应

辅酶名称	含维生素	主要催化反应
辅酶 I	维生素 PP	传递氢原子
辅酶 II	维生素 PP	传递氢原子
辅酶 A	泛酸	转移酰基
辅羧化酶	维生素 B_1	α-酮酸氧化脱羧
黄素辅酶	维生素 B_2	传递氢原子
吡哆素辅酶	维生素 B_6	转移氨基

运动员维生素不足的原因是摄入量不足，例如由于运动量过大，消耗多，而摄入量却只及正常人标准；不良的饮食习惯，如吃糖过多，吃蔬菜、水果少，缺乏水溶性维生素，或有偏食的不良习惯；以及食物的加工不科学，以致维生素丢失或破坏等，都会使维生素摄入量不足。因此，运动员应注意增加维生素的摄入量。

【讨论】为什么维生素是人体不可缺少的营养素？

2. 酶的结构特点

酶的分子量很大，酶蛋白所含氨基酸数目约在 100～1000 之间，有的由一条多肽链组成，有的由数条多肽链聚合而成。所有酶分子都具有特定的空间结构，如果其空间结构遭到破坏，酶的催化活性就会降低或完全丧失。

习 题

1. 酶的概念是（ ）。
(1) 蛋白质
(2) 小分子有机物
(3) 有催化作用的物质
(4) 具有催化功能的蛋白质

2. 酶的催化效率比一般催化剂（ ）。
(1) 高几百倍
(2) 高几万倍
(3) 高几百万倍
(4) 略低

3. 蛋白酶可以将（　　）。
(1) 蛋白质水解成氨基酸
(2) 淀粉水解成葡萄糖
(3) 脂肪水解成甘油和脂肪酸
(4) 谷氨酸水解成甘氨酸

4. 酶催化反应的特点是（　　）。
(1) 不稳定
(2) 较稳定
(3) 很稳定
(4) 有时稳定有时不稳定

5. 结合酶的构成是（　　）。
(1) 全酶加辅酶
(2) 辅酶加辅基
(3) 蛋白质加辅基
(4) 酶蛋白加辅酶

6. 人体每天对维生素的需要量是（　　）。
(1) 几微克到几毫克
(2) 几毫克到几克
(3) 几克到几十克
(4) 几微克到几克

第二节　环境对酶活性的影响

一、影响酶催化反应速度的因素

酶的催化反应速度受 pH、温度等多种因素的影响。

1. pH 的影响

酶的催化反应速度受 pH 的影响。酶分子结构中有些与催化活性有关的游离基团，如游离的氨基、羧基、羟基、巯基等，在不同的 pH 环境中解离状态不同，只有酶蛋白和底物处在一定的 pH 范围内，呈现一定的电离状态时，酶才能与底物结合，显示催化活性。酶在某一 pH 环境中显示最大的催化活性，此 pH 称为该酶的最适 pH。不同酶的最适 pH 可以不同，但人体大多数酶的最适pH接近中性，约在pH6.5～8.0之间。pH对酶催化反应速度影响的关系可用图6—1表示。

环境pH离开酶的最适pH，酶活性就会受到抑制，离开越远，酶活性越小。过酸过碱都会使酶蛋白变性失活。

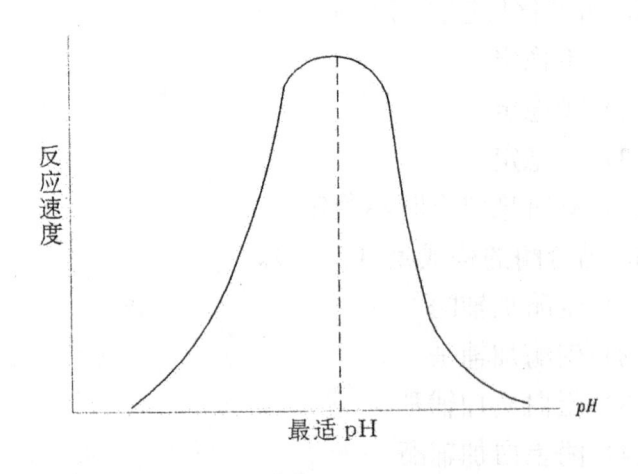

图6—1 pH对酶催化反应的影响

【讨论】为什么酶容易受pH的影响而改变催化能力？

2. 温度的影响

酶的催化反应和一般化学反应一样，也受温度变化的影响。温度上升，反应速度也随之加快。但酶是蛋白质，温度过高酶可发生变性，反而降低其催化效率。因此，在酶的催化反应中，温度升高使反应速度增加与使酶变性降低反应速度的两个相反影响同时存在。在0～40℃范围内，前一影响大，而后一影响小，故反应速度随温度上升而增加。当温度增加到50℃时，随温度的升高酶变性明显增强，反应速度则随之降低。在80℃时，大多数酶都会丧失活性。100℃时，所有酶都会变性失活。因此，酶的催化反应有一个最适温度，在这一温度时酶催化反应速度最大，这一温度称为酶的最适温度。人体内大多数酶的最适温度在37～40℃之间。温度对酶催化反应速度影响的关系可用图6—2表示。

【讨论】为什么酶容易受温度的影响而改变催化能力？

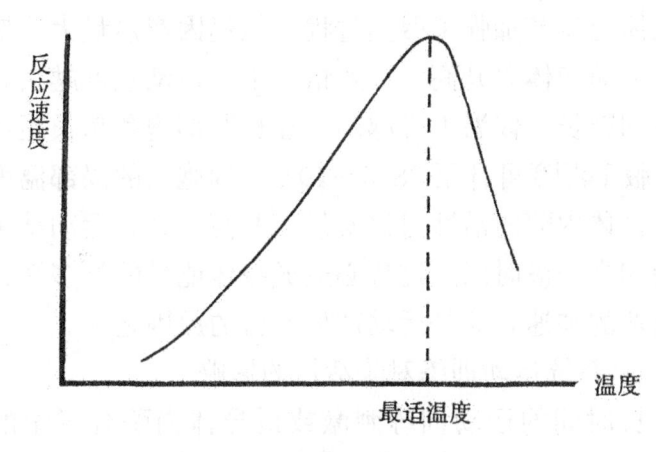

图 6—2　温度对酶催化反应的影响

二、运动对酶活性的影响

1. 剧烈运动时体温和体液 pH 变化对酶活性的影响

（1）体液 pH 变化的影响

人体在进行激烈的运动至力竭时，肌肉中乳酸可增加近 30 倍，其他酸性产物也在肌肉中堆积，但以乳酸数量为最多，电离生成的氢离子数目占肌细胞中总数 85% 以上。因此，肌肉中 pH 值下降主要由乳酸引起。在疲劳时，肌肉 pH 值可下降 0.5 单位左右。在进行 1 分钟的最大强度运动时，糖酵解（糖无氧分解）供能过程中生成的乳酸很多，当肌肉 pH 下降至 6.4 时，酶活性受到抑制，会使无氧代谢供能途径切断。

正常人体血液呈微碱性，pH 值在 7.35～7.45 之间，并保持相对恒定。激烈运动时产生的大量酸性物质进入到血液，使血液 pH 值可下降到 7.0 左右，进而引起脑等其他组织器官的 pH 值下降，这是影响运动能力的一个重要因素。但是这些变化经过适当的休息之后，体内 pH 值会逐渐恢复到安静状态水平。

通过系统的运动训练可增加体内的缓冲物质，提高机体的缓冲能力。运动中服用碱性饮料，以增加血液的缓冲能力，有助于提高运动能力。

（2）体温变化的影响

运动时，由于体内物质能量代谢增强，产热量增加，虽经体温调节加强了散热过程，但仍因产热量大于散热量，从而使体温升高。一般情况下，运动强度越大，持续时间越长，体温上升越高。在长距离跑和超长距离跑后，腋下温度可升至 38.5～40℃。细胞内的局部温度会更高。体内酶的活性可比安静态升高，并在运动结束后保持相当一段时间。这势必造成身体能量的过多消耗和酶破坏的加速，这是运动产生疲劳的原因之一。

2. 系统运动训练对酶活性的影响

长时间的运动训练刺激或诱导体内酶合成量的增加，使细胞内参与代谢的酶的绝对量增加，从而促使物质代谢增强。

肌肉活动能使肌肉中催化物质代谢的多种酶的活性产生适应性增强，但酶活性的变化可因运动的方式不同而异。例如无氧供能训练时，可引起参与无氧代谢的酶活性明显增加，有氧代谢酶类活性增加不显著。而有氧代谢训练则可引起有氧代谢的酶类活性明显提高。前者能提高无氧耐力，后者可提高有氧运动能力。

【讨论】什么性质的运动易引起体液 pH 和温度的改变？

【阅读材料】

运动时影响酶催化反应的因素的变化

影响酶催化反应速度的因素除温度和 pH 外，还有酶浓度、底物浓度、激活剂（能提高酶活性的物质）和抑制剂（能降低酶活性的物质）。运动时这些因素的变化也必然影响体内酶的催化反应。

运动训练使酶活性提高的原因之一是酶合成量的增加。当进行大强度的无氧练习时，引起参与无氧代谢的酶活性适应性增强，有氧代谢训练可引起有氧代谢酶活性增高，前者使运动员无氧运动能力提高，后者使有氧运动能力提高，这是由于运动使细胞内参与无氧和有氧代谢的酶的绝对量增加的结果。

人在安静时血浆游离脂肪酸浓度相对较低，在进行运动的过程中，由于脂肪酶的活性升高，血浆游离脂肪酸的浓度可以上升20倍。血浆游离脂肪酸底物的增加，使肌细胞对血浆游离脂肪酸的摄取和氧化酶催化反应利用率大大提高。口服咖啡因提高有氧运动耐力的原因就是咖啡因可以加速脂解作用，增大血浆游离脂肪酸的浓度，运动时脂肪氧化供能的比例增加。

习　题

1. 人体内多数酶催化效率最高的pH是（　　）。
(1) 1.9
(2) 5.0
(3) 7.0
(4) 8.1

2. 酶催化效率最高的温度是（　　）。
(1) 25℃
(2) 37℃
(3) 60℃
(4) 100℃

3. 短时间激烈运动体内pH变化使酶活性（　　）。
(1) 升高
(2) 降低
(3) 保持稳定
(4) 先升高后降低

本章小结

酶是一类由活细胞产生的、具有催化功能的蛋白质。酶催化具有专一性、高效性和不稳定性。酶有单纯酶和结合酶，结合酶是由酶蛋白和辅酶两部分组成。很多维生素是不同辅酶的成分。酶分子的特定空间结构决定酶的催化能力。温度和pH是影响酶活性的重要因素。运动可影响人体内的酶活性。

第七章 物质和能量代谢

第一节 新陈代谢

【思考】生物最基本的特征是什么？

新陈代谢是生物最基本的特征之一。它是生物体内进行的一切化学变化的综合。新陈代谢是生物体的生长、发育、繁殖和运动等生命活动得以进行的基础。新陈代谢一旦停止，生命活动也就随之停止，亦即生物体的死亡。生物的新陈代谢可分为物质代谢和能量代谢两个方面。

一、物质代谢和能量代谢

人体不断地从外界摄取糖、脂肪和蛋白质等营养物质，经过消化吸收进入体内进行各种化学变化，建造组织和贮存能量。例如食物中的蛋白质经消化转变为氨基酸，吸收进入体内用于建造、更新和修补组织；食物淀粉经消化转变为葡萄糖，吸收进入体内在骨骼肌、肝脏等组织中合成糖原贮存能量。同时，也将体内原有物质转化为其他物质排出体外，例如体内的糖原氧化最后转变为二氧化碳和水排出体外。这些物质变化称为物质代谢。在物质代谢过程中必然伴有各种形式的能量释放、转移和利用，例如糖原氧化转变为二氧化碳和水的同时，有很多能量释放，这些能量转移到ATP（三磷酸腺苷）中，供完成各种生理活动之用。这种能量变化的过程称为能量代谢。

二、合成代谢和分解代谢

体内的物质代谢可分为合成代谢和分解代谢。合成代谢指生物体利用外源性或内源性的小分子合成自身的大分子结构物质和具有生物活性的物质。合成代谢需要能量，但同时又是贮存能量和建造组织的过程。分解代谢是指生物体内组成成分的分解作用，亦即复杂的大分子物质分解为简单的小分子物质和代谢产物的过程。

三、人体内的能源物质

人体的能量主要来自糖、脂肪和蛋白质三大营养物质在体内的氧化分解，所以把这三大营养物质称为人体的能源物质。每克葡萄糖在体内完全氧化释放4千卡能量（每千卡相当于国际单位4.2千焦），1克脂肪释放9千卡，1克蛋白质释放4千卡能量。人体内贮存可被利用的能量，以65千克体重正常男子为例，可利用能源物质的理论数值和实际能应用的数值之间与人体的机能有关（表7—1）。最大限度地提高能源物质利用数值，可能是提高运动能力的重要途径之一。不同训练水平的运动员，动用体内能源物质的能力随训练水平提高而有所增加。

表7—1　正常男子（体重65千克）体内能源的贮存

贮存能源	体内总量（克）	可利用量（克）	（千卡）	每日消耗量（克）	理论耗竭时间（天）
糖原（以肌、肝糖原为主）	500	150	600	>150	<1
蛋白质（以骨骼肌为主）	11000	2400	9600	60	约40
脂肪（以脂库为主）	9000	6500	58500	150	约40

注：以每日消耗能量1600千卡计算。

体内糖类用作能源物质的主要是糖原，葡萄糖在血液中贮量约5克左右，而糖原贮量约450克。糖原以骨骼肌中贮量最多，正常人骨骼肌内约含1.5%，肌糖原约为350克；肝脏约含5%，肝糖原约为75克。其余可贮于心肌和脂肪细胞等组织中。运动不可能将糖原耗竭。

脂肪在脂肪细胞中含量很高，如大网膜和皮下脂库中的脂肪可达体内脂肪总量的90%左右。加以脂肪供能的热卡较多，故脂肪是体内能量贮存的主要形式，一般人脂肪占体重的15%左右。脂肪在体内不可能耗尽。

各种组织都含有不等量的蛋白质，但它是细胞结构的组成成分，或是酶和某些激素的成分，而不是供能物质。贮存于肌肉中的蛋白质可在空腹或应激等条件下分解为氨基酸作为能源。在进行较长时间的运动时，蛋白质也参与供应部分能量。

人体内的能源物质除糖、脂肪和蛋白质外，还有一些高能磷酸化合物，其中主要是三磷酸腺苷（ATP）（图7—1）和磷酸肌酸（CP）（图7—2）。

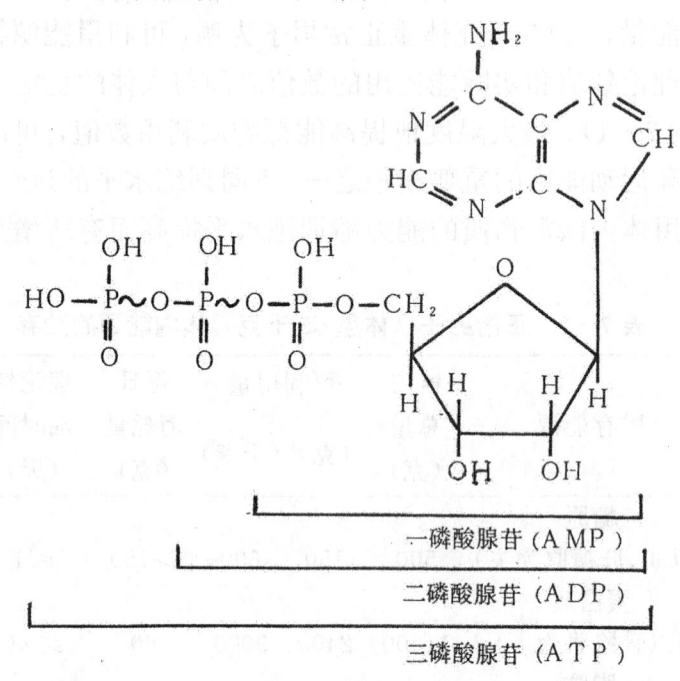

图7—1 三磷酸结构简式

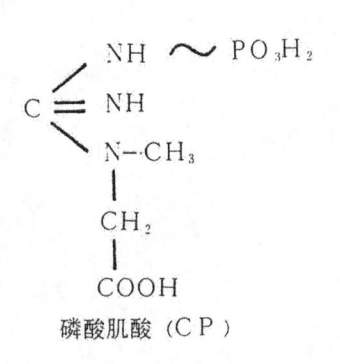

图7—2 磷酸肌酸结构简式

三磷酸腺苷和磷酸肌酸分子中含有比普通化学键能量高的化学键，所以称为高能化合物。它们在人体内的总量不足200克，当这些物质的高能磷酸键断裂时释放的能量约5千卡，供给人体正常活动的时间也不过4分半钟左右。在最大强度运动时供能不足10秒。平时它们只有少量被动用，只有在激烈的体力活动时才充分发挥作用。

三磷酸腺苷的再生是靠糖和脂肪等能源物质分解时，从代谢物上脱氢后传递氧化成水的过程中产生的，故三磷酸腺苷实际上在机体能量释放和利用过程中起中间传递体的作用。三磷酸腺苷和磷酸肌酸都不是人体内的主要能源物质。

【讨论】人体内有哪些能源物质？

四、人体内能量的释放和利用

各种营养物质分解释放可为机体利用的能量，一般不能直接利用，需要转变为高能磷酸键的形式贮存于ATP分子中，由ATP分解供给，ATP是联系物质代谢和能量代谢的一个枢纽。

各种营养物质在进行分解代谢时，将化学能释放出来，用于合成新物质，维持各种生命活动，如肌肉收缩和神经冲动的传导等。这部分能量通过ATP的传递，约占总能量的40%。但营养物质在分解放能时，不能全部转变为各种生命活动的能量，总有一部分转变为热能的形式散失（图7—3）。

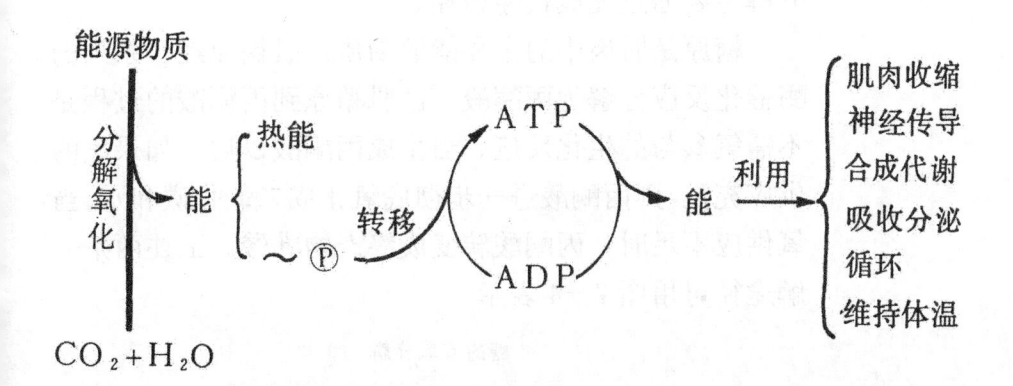

图7—3 细胞内ATP合成和利用示意图

习　题

1. 名词解释
  (1) 物质代谢
  (2) 能量代谢
  (3) 合成代谢
  (4) 分解代谢
2. 填空

(1) 每克蛋白质在体内完全氧化释放能量____，每克脂肪释放能量____，每克糖释放能量____。

(2) 人体血液中有葡萄糖____克。肌糖原有____克，在骨骼肌中占____%。肝糖原有____克，占肝脏重量的____%。

(3) 人体高能磷酸化合物主要有____和____。它们合计在体内供能时安静态供能时间约____，激烈运动时供能时间____。

(4) 人体内营养物质分解释放化学能用于各种生命活动的能量约占总能量的____%。

第二节 糖的分解代谢

糖的分解代谢是人体获得能量的重要途径之一，体内糖的分解代谢有两条主要途径，即有氧代谢和无氧代谢。当氧供应充足时，体内糖的分解主要通过有氧代谢途径；当氧的供应量不足（如剧烈运动）时，体内糖的分解主要通过无氧代谢途径。

糖原是肌肉中的主要能源物质。肌糖原经一系列的酶催化反应分解为丙酮酸，由肌糖原到丙酮酸的过程是不需氧参与的生化反应。当生成丙酮酸以后，如果氧的供应充足，则丙酮酸进一步彻底氧化成二氧化碳和水；当氧供应不足时，丙酮酸转变成终产物乳酸。上述两条分解途径可用图7—4表示。

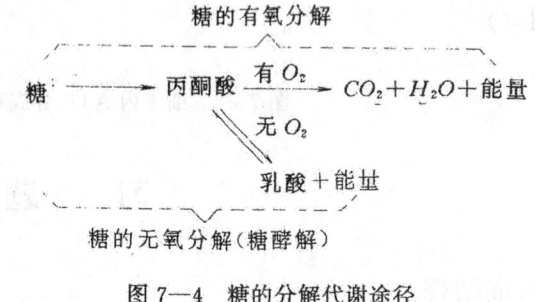

$$\underbrace{糖 \longrightarrow 丙酮酸 \begin{matrix} \xrightarrow{\text{有}O_2} CO_2+H_2O+能量 \\ \Downarrow \text{无}O_2 \\ 乳酸+能量 \end{matrix}}_{\text{糖的无氧分解（糖酵解）}}^{\text{糖的有氧分解}}$$

图7—4 糖的分解代谢途径

一、糖的无氧代谢（糖酵解）

由于人体内糖的无氧代谢过程与酵母菌的发酵过程十分相似，故糖的无氧代谢又称糖酵解，它是生物体内普遍存在的一种代谢方式。

糖酵解过程从肌糖原开始到乳酸止共12个反应步骤，每个反应步骤都由特异酶参与催化反应。糖酵解过程是放能反应的过程，从肌糖原开始代谢，每个葡萄糖单位酵解净得3分子ATP。

糖酵解反应是在无氧情况下进行的。因此，在正常生理条件下，氧供给充足，大多数组织很少进行酵解。但在某些情况下，特别是剧烈运动（如短跑）时，人体的需氧量剧增，但由于受到心脏功能的限制，在很短促的时间内根本无法满足如此巨大的需要量，因而肌肉在处于氧供应不足状态下完成运动，这时能量的供应是依靠加强糖酵解作用来获得的。在糖酵解过程中，能量的转换使ADP再合成ATP，称为ATP的无氧再合成。这是解决剧烈运动时能量的重要来源。

【讨论】 什么性质的运动以糖酵解供能为主？

二、糖的有氧代谢

糖在有氧条件下彻底氧化生成二氧化碳和水，称为糖的有氧代谢。每分子葡萄糖在有氧代谢中产生的ATP比糖酵解时产生的ATP要多十几倍，所以糖的有氧代谢是体内糖分解产能的主要途径。在正常生理条件下氧供应比较充足，因此，从能量产生和利用效率来说，糖有氧代谢是长时间大强度运动的重要能量来源。

糖是人体内最重要的能源物质，它们在体内的无氧和有氧两条分解代谢途径所需要的条件、最终的产物和释放的能量均有所不同（表7—2）。它们在各种不同的运动项目中参与能量供应的比例各不相同。

表7—2 **糖酵解和有氧代谢的比较**

代谢方式	酵解	有氧代谢
有、无氧参与反应	无	有
最终产物	乳酸	CO_2 和 H_2O
产生ATP量	3	39

【讨论】什么性质的运动以糖的有氧代谢供能为主？

三、乳酸代谢

1. 代谢途径

激烈运动时肌肉中产生大量的乳酸，并不断扩散入血液。运动后，氧供给增加，糖无氧代谢逐渐减弱，乳酸生成减少。运动时产生并积累的乳酸有两条去路，其一是在骨骼肌、心肌或其他一些组织中，乳酸进一步彻底氧化成二氧化碳和水；其二是血乳酸随血液循环进入肝脏，在肝脏中经糖异生作用（由非糖物质生成糖的作用）转变成肝糖原和葡萄糖（图7—5）。

研究指出，在运动时生成的乳酸在肝脏中经乳酸循环转变成糖的仅占全部乳酸的1/6～1/4，其余大部分则在骨骼肌和心肌中被氧化。经过训练的运动员，这种氧化乳酸的能力大大提高，如训练水平高的自行车运动员，心肌有氧代谢的89%是氧化乳酸。此外，还有部分乳酸随尿和汗排出体外。

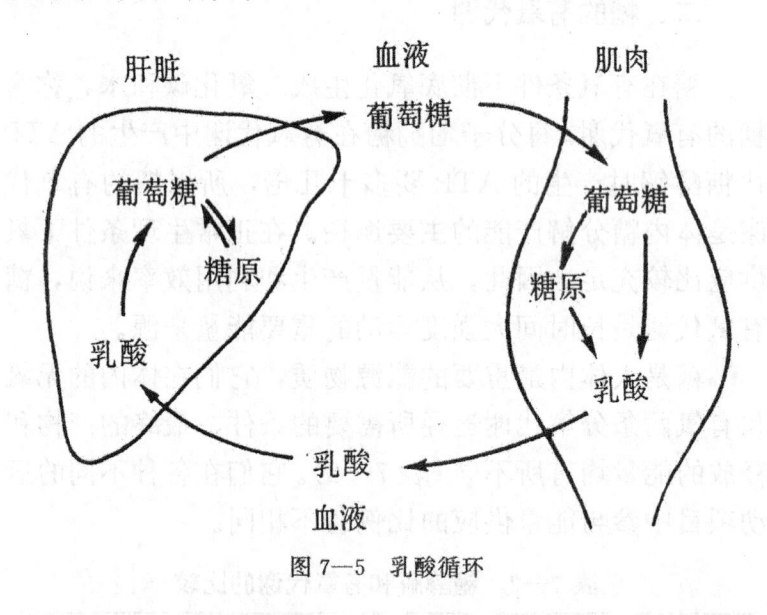

图7—5 乳酸循环

2. 乳酸消除的意义

在进行大强度运动时，肌细胞中由于乳酸积累导致pH值下降，酶活性被抑制，这是肌肉产生疲劳的因素之一。

运动中产生的乳酸及时地清除对延缓疲劳的发生和疲劳的消除，对提高运动能力有着重要意义。研究指出，活动性休息比静止性休息乳酸清除约快一倍。如活动性休息乳酸消除的半时反应（乳酸清除一半所要求的时间）为11分钟，全部清除需1小时；而静止性休息乳酸消除的半时反应为25分钟，全部清除约2小时。

【讨论】为什么乳酸在体内累积会引起机体疲劳？

习　题

1. 糖的分解代谢主要有_____和_____两条途径。
2. 1分子葡萄糖单位的糖原酵解净生成____ATP。最终产物是_____。
3. 1分子葡萄糖单位的糖原完全氧化净生成____ATP。最终产物是_____。
4. 乳酸代谢的主要去路有_____和_____。
5. 运动后做整理活动的意义是_____。

第三节　脂肪的分解代谢

一、脂肪的分解代谢

脂肪作为能源物质参与能量代谢。脂肪氧化时，首先由脂肪酶催化水解成甘油和脂肪酸，然后甘油和脂肪酸分别进行分解代谢。

在长时间的运动中，甘油主要经糖异生过程合成葡萄糖补充血糖的消耗，这对维持血糖恒定和保持运动耐力具有一定的意义。

脂肪酸是中等强度长时间运动能量的主要来源。脂肪酸经过多次 β-氧化（从 β 碳原子部位氧化），生成大量的乙酰辅酶A，然后进一步彻底氧化成二氧化碳和水，同时释放出大量的能量。人体无论安静时还是长时间的有氧运动，脂肪酸氧化供能都起着重要作用。

【讨论】什么性质的运动以脂肪氧化供能为主？

二、运动对脂肪代谢的影响

经常参加体育锻炼，特别是耐力训练，引起脂肪代谢产生适应性的变化，有利于提高人体的工作能力和身体健康。

1. 提高运动耐力

经过长时间耐力训练的人，体内脂肪酶活性提高，有利于加强机体内氧化脂肪的能力，使得人体在运动时更多地利用脂肪供能，减少糖供能的比例，从而延长工作时间，提高运动耐力。

2. 增进健康

经常参加体育锻炼的人，能减少脂肪在体内的堆积，预防肥胖，提高工作能力；还可以降低血脂，预防心脑血管病发生，有利健康。

习　题

1. 甘油在人体内主要的代谢功能是_____，脂肪酸是_____。
2. 耐力训练水平高的人，体内_____提高，氧化脂肪的能力_____，可提高_____。
3. 经常参加体育锻炼的人，能____身体脂肪含量，预防身体肥胖；能____血脂，预防心脑血管疾病。

第四节　蛋白质的分解代谢

人体内蛋白质的主要作用是组成细胞的结构成分和酶等特殊的功能性物质。在长时间大强度运动时，体内的蛋白质也有少量的参与能量供应。

一、氨基酸分解代谢

人体内的蛋白质先水解成氨基酸，之后进行氧化分解代谢。

氨基酸分解代谢的主要方式是首先与 α-酮戊二酸进行氨基转移反应，产生相应酮酸和谷氨酸。当谷氨酸生成后，谷氨酸氧化脱去氨基重新生成 α-酮戊二酸。构成蛋白质的多种氨基酸都可以通过这种氨基转移和氧化脱氨基相结合的方式转变成相应的酮酸（图7—6）。

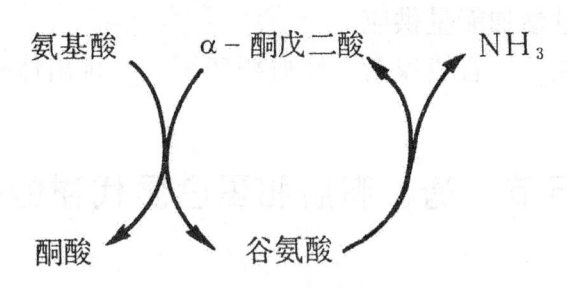

图7—6　氨基酸的脱氨基作用

氨基酸脱去氨基以后，生成的酮酸可氧化生成二氧化碳和水，并释放能量进行 ATP 的合成。由谷氨酸脱下的氨在肝脏合成尿素，经血循环至肾脏排出体外。

二、运动对蛋白质代谢的影响

在进行长时间大强度运动时，氨基酸的氧化增强，氨基酸分解释放的能量为肌肉收缩提供 ATP。但是，在与糖和脂肪相比，供能最多不超过总能耗的20%。

蛋白质分解过多必然影响到人体的工作能力。尿素是蛋白质分解代谢的终产物，血液和尿液中的尿素含量随蛋白质分解加强而增多，因而可采用测定尿素水平判断运动员的身体机能状态。

体育锻炼和运动训练促进人体的生长发育，显示人体体形和体力的健与美。骨骼肌和心肌产生工作性肥大，肌纤维变粗，这是蛋白质合成代谢加强和组织器官的结构蛋白含量增加的结果。人体内的功能蛋白质，如多种酶系、血红蛋白和肌红蛋白（肌肉中贮存氧的功能），在运动的影响下，含量升高了。这对改善机体的生化过程、促进健康和增强体质是很重要的方面。

【讨论】一次大量肉蛋类膳食血液和尿液尿素是否会升高？

习 题

1. 蛋白质在_____时有少量参加能量供应。
2. 氨基酸分解代谢脱下的氨在____合成尿素，经血循环至____排出体外。

第五节　糖、脂肪和蛋白质代谢的关系

人体内糖、脂肪和蛋白质等各种物质的代谢都有独立的代谢途径不停地进行着，它们彼此相互联系、相互转变，同时又相互协调、互相制约，各以适当的速度、沿着一定方向、有条不紊地进行。

一、糖与蛋白质代谢的关系

糖和蛋白质的关系体现在糖和非必需氨基酸的相互转化。如糖代谢中产生的丙酮酸、α-酮戊二酸和草酰乙酸可通过转氨基作用生成相应的丙氨酸、谷氨酸和天冬氨酸。由于人体不能利用糖合成必需氨基酸，所以不能用糖代替食物蛋白质的补充。

丙氨酸和谷氨酸等可以脱氨基后生成酮酸，再进一步转变成糖。可见，蛋白质在一定程度上可以代替糖。

二、糖与脂肪代谢的关系

由糖代谢生成的中间产物乙酰辅酶 A 是合成脂肪酸的原料，另一中间产物磷酸丙糖可以转变成甘油，甘油和脂肪酸进一步反应生成脂肪。所以糖在体内可转变成脂肪。食糖多又缺乏体力锻炼的人容易长胖，正是糖转变成体脂造成的。

反之，脂肪很难转变成糖。脂肪水解产物甘油能够转变成磷酸丙糖，进入糖代谢途径，再通过糖异生作用转变成糖。脂肪的另一水解产物脂肪酸转变成糖的数量很少。可见，糖可以大量转变成脂肪，但脂肪只能少量转变成糖。

三、蛋白质与脂肪代谢的关系

蛋白质水解产生的氨基酸一部分可以转变成甘油，另一部分可形成乙酰辅酶A，是合成脂肪的原料，从而可以合成脂肪。

脂类可以合成非必需氨基酸。其过程是脂肪酸首先氧化成乙酰辅酶A，再转变成酮酸，通过转氨基作用生成氨基酸。脂肪酸不能转变成必需氨基酸。由脂肪酸转变来的氨基酸的种类和数量十分有限，因此，机体几乎不能利用脂肪合成蛋白质。可见，脂肪与糖一样，也不能代替食物蛋白质的补充（图7—7）。

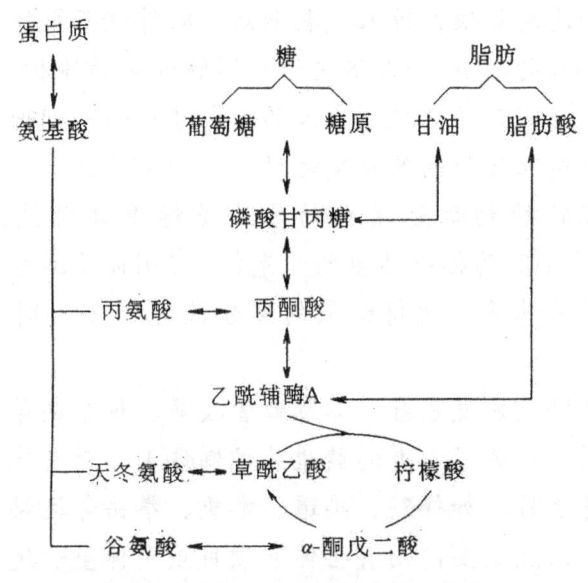

图7—7 糖、脂肪和蛋白质之间的代谢关系

【讨论】肥胖与膳食中食物的种类是否有关系？

【阅读材料】

肥胖与控体重

人体脂肪过多称为肥胖。

脂肪在人体安静态和运动时的能量供应中占有相当重要的地位，它作为能源物质贮存于脂肪组织中，如大网膜、内脏周围、皮下、肌间结缔组织的脂肪细胞中。人体内糖、脂肪和蛋白质三大能源物质中脂肪是贮备量和可动用量最多的能源物质。

人体内总脂肪量占体重的百分率随年龄、性别和生理状况等不同可有很大差别，一般女性高于男性，随年龄的增长，体脂含量逐渐增加，饥饿和运动使体内脂肪减少。

肥胖的形成可以由脂肪细胞体积增大，也可以由脂肪细胞数目增多，或两种形式的结合所致。体内脂肪细胞数目多的人比一般人更容易或更迅速地产生肥胖。人体从婴儿出生到成年人期间，脂肪细胞的数目和体积都将增加4~5倍。在肌体发育成熟之前，体内脂肪细胞的数目不断持续增多，尤其在青春期之前，脂肪细胞的数目增加速度最快；进入成熟期后，肥胖就不再伴有脂肪细胞数目的增多，而是通过增加脂肪细胞的体积来实现。因此，人们应该认识到在人的生命过程的早期阶段即青春期前建立良好的饮食及运动习惯的重要性。

肥胖的判断最简单的方法是标准体重法。身高(cm)减105为标准体重的千克数。实测体重减标准体重除以标准体重，所得结果的百分数超过20%时就叫肥胖。

肥胖是诱发癌症、心脑血管疾病、糖尿病等的重要因素之一，为了人类的健康应控制体重。对有体重级别的体育项目，如摔跤、柔道、举重、拳击等运动员，控制体重固然重要，而有些体育项目虽无体重规定，如体操、跳水、艺术体操等运动员，体重过大会增加完成动作的难度，或影响动作的形体美，同样要控制体重。适当地减少一些体脂对完成正常的生理机能和充分发挥运动水平不但无妨碍，还能起到减少身体负重的效果。

如果体重过大就应减肥，减肥方法关键是使身体摄取与消耗的热能收支平衡。减体重期间应使身体处于热能的负平衡，保持体重期间机体应维持热能的总平衡。热能平衡可从热能食物摄入量的增减和改变运动量的大小两方面进行协调，不过，运动的性质应控制在较低强度的有氧代谢范围，使运动中消耗的能源物质是脂肪而不是别的。

习 题

1. 糖、脂肪与蛋白质代谢的联系点主要有_____、_____、_____、_____和_____。
2. 人体过于肥胖除遗传因素外最常见的原因是____和____。

本章小结

一、新陈代谢

新陈代谢是生物最基本的特征之一，它包括物质代谢和能量代谢同时进行的两个方面。细胞内的各种物质代谢的共同特点是：有特定的代谢途径，都有酶参与催化和有自动调节机构。

二、人体内的能源物质

人体内主要能源物质是糖和脂肪，有时蛋白质也参与供能，此外还有高能磷酸化合物，ATP 是能量转换的枢纽。

三、糖、脂肪和蛋白质的分解代谢

人体内糖分解代谢有两条主要途径，即有氧分解产生 CO_2 和 H_2O 及无氧酵解产生乳酸，前者释放能量多，是人体正常情况下能量的主要来源，后者释放能量少，却是剧烈运动身体缺氧时能量的重要来源。脂肪先水解为甘油和脂肪酸，然后脂肪酸氧化释放大量能量。蛋白质先水解成氨基酸后再进行分解代谢。人体内糖、脂肪和蛋白质代谢是相互联系、相互制约的。

第八章 运动时能量的供应和机能评定

人体进行各种生命活动所需要的能量都直接来源于三磷酸腺苷（ATP）。ATP是机体内能量释放、转移、贮存和利用的高能化合物，其合成途径有三条：

ATP合成途径 $\begin{cases} 磷酸肌酸分解 \\ 糖酵解 \\ 糖、脂肪、蛋白质有氧分解 \end{cases}$

第一节 运动时的能量供应

各种不同形式的体育运动项目都有其特殊的能量需求。例如短跑、跳跃和投掷需要在极短的时间内提供相当的能量。马拉松、长距离游泳和越野滑雪需要在长时间内提供相应的能量。而球类、体操等非周期性体育运动对各类供能方式均有不同程度的需求。人体内有三种供能途径，通过不同方式的组合，可以为各种不同形式的体育运动项目提供与之适应的能量。

一、磷酸原（ATP—CP）系统

磷酸原系统由细胞内ATP和CP两种高能磷酸化合物组成。ATP是肌肉收缩的直接能源，肌肉收缩时与ATP结合的收缩蛋白发生结构变化，同时分解ATP使化学能转变为机械能，完成肌肉收缩。

CP是骨骼肌贮存能量的仓库，CP的分解是合成ATP的最快途径。该反应由活性很强的磷酸肌酸激酶（CK）催化，1分子CP的分解可以合成同等数量的ATP。由于两者都是通过分子内的高能磷酸键快速转移和释放能量，因而将它们统一称为磷酸原系统（图8—1）。

磷酸原系统供能物质贮量极少，人体激烈运动时，维

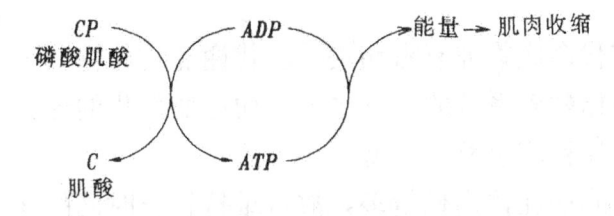

```
CP           ADP      能量→肌肉收缩
磷酸肌酸
       
C            ATP
肌酸
```

图 8—1　磷酸原系统供能示意图

持供能时间不足 10 秒。虽然维持运动供能时间少于其他供能途径，但由于它在三个供能系统（磷酸原系统、糖酵解系统、糖和脂肪有氧氧化系统）中输出功率最高，进行最大强度运动时最大输出功率几乎相当于汽车的输出功率，所以对于短跑、跳跃、举重和投掷等要求爆发力的运动项目极为重要。

运动训练可使肌肉 CP 含量增多，磷酸肌酸激酶的活性亦受训练的影响而提高。由此可见，运动有利于将 CP 分子内贮存的能量转给 ADP 重新合成 ATP，以保证短时间剧烈运动时肌肉供能的需要。

【讨论】磷酸原参与供能的运动项目有哪些？

二、糖酵解系统

糖酵解系统是机体进行较大强度剧烈运动时的主要能量来源。该供能系统的能量输出在运动开始后 30~60 秒达到最大速率，维持时间可达 2~3 分钟。超过 2~3 分钟之后，由于糖酵解产物乳酸堆积过多，肌肉中 pH 值下降，使糖酵解过程的酶活性受到影响，进而限制糖原的进一步分解，最终可导致运动速率下降，甚至不得不停止运动。糖酵解系统供能的最大输出功率约为磷酸原的一半。因此，以糖酵解供能为主的运动所表现的力量和速度均低于磷酸原系统。但由于该供能系统可以在无氧条件下维持较长时间和较大功率的能量输出，因而是 200 米游泳、400 米和 800 米跑等项目的主要供能系统。

【讨论】糖酵解参与供能的运动项目有哪些？

三、有氧代谢系统

有氧代谢系统是进行长时间耐力运动的主要供能系统，其能量输出功率远远低于其他两个供能系统，而且供能速率与代谢底物亦有密切关系。代谢底物为糖时输出功率约为糖酵解系统的二分之一，而脂肪氧化的最大输出功率又比糖完全氧化降低一半。

糖类、脂肪在体内贮量多，故可维持较长时间的运动，这一供能系统对于越野滑雪、长距离游泳和马拉松跑等持续时间较长的运动项目具有重要意义。

【讨论】有氧代谢参与供能的运动项目有哪些？

四、运动时供能系统的动用顺序

在运动中各供能系统的供能量很难准确定量，三条供能途径参与供能的时间和相对关系如图8—2所示。在10秒以内全力运动时，ATP和CP为主的磷酸原系统起主要供能作用，在30秒～3分钟期间是糖酵解供能为主的阶段，超过3分钟以上的全力运动，基本上由有氧代谢供能，随着运动时间延长，供能的能源物质相应由糖氧化为主逐渐转变成脂肪氧化供能为主。

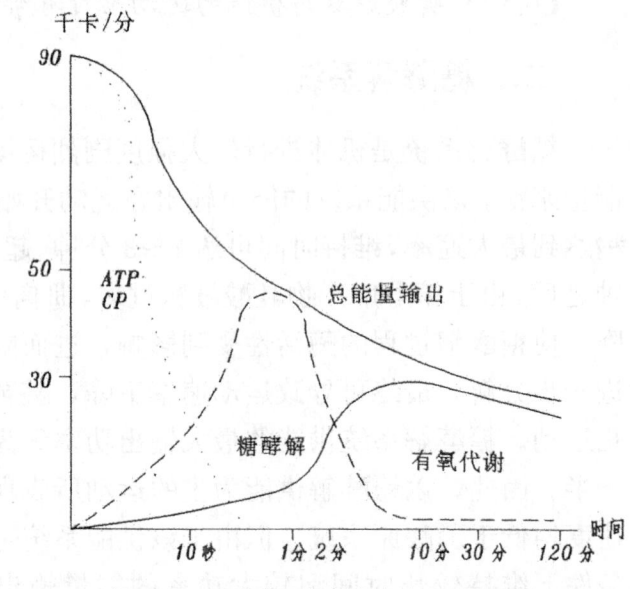

图8—2 人骨骼肌能量供应的顺序和数量关系

如果某运动员某一能量系统比其他系统更发达，那么由这一能量系统占优势的专项成绩就好。但是，实际上大部分运动项目都要涉及两个以上的供能系统，如某些运动持续时间很长，能量供应以有氧代谢为主，但其中某些技术动作需要高速率的能量输出，必须有磷酸原系统提供能量，或某段时间运动强度较大，需要由糖酵解系统提供能量。因此，就要训练两个能量系统，甚至三个能量系统，才能有效地提高运动能力，如足球等。

习　题

体内供能系统＿＿＿＿＿、＿＿＿＿＿、＿＿＿＿＿
供能时间　　＿＿＿＿＿、＿＿＿＿＿、＿＿＿＿＿
适应运动项目＿＿＿＿＿、＿＿＿＿＿、＿＿＿＿＿

第二节　运动能力的评定

人体必须持续地消耗能量以维持各种复杂的生命活动，激烈运动时更是如此，肌细胞利用 ATP 的速率可提高几百倍至几千倍。因此，运动时能量供应状况与运动能力有密切关系。

一、磷酸原供能能力的评定

在持续数秒钟的最大强度运动中，ATP 再合成的基本途径是来自 CP 的分解。CP 是运动时能量供应的重要物质，当 CP 分解后即变成肌酸。在运动后或运动中如果 ATP 由糖或脂肪氧化供能数量多时，ATP 可将能量转移到肌酸分子上重新合成 CP。运动训练促进骨骼肌 CP 贮量增多，有利于该种性质运动能量的供应。

测定 CP 的贮量是用肌肉活检法，因此难以在实践中应用，目前一般采用间接法。在分解代谢过程中，肌酸分子脱去一分子水和 CP 分子脱去一分子磷酸都可成为肌酐。肌酐为肌酸或 CP 的代谢终产物，由尿液排出。人体内 CP 的数量是比较恒定的，所以每天尿肌酐排泄量也比较恒定，正常成年男子每日排出肌酐 1~1.8 克，女子 0.7~1 克。运动员经过一阶段速度或力量训练肌肉力量提高，主要表现为肌肉体积增大和肌肉质量提高，肌肉中 CP 数量增加，尿肌酐排泄量也增加。

24 小时内每千克体重排出的肌酐毫克数称为尿肌

酐体重系数。一般男子为 18~32，女子为 10~25。男运动员为 29~37，女运动员为 25~34。

力量、速度素质与磷酸肌酸贮量的关系密切。在选拔力量、速度型运动员时，应当注意选择磷酸肌酸含量先天高者。根据尿肌酐日排出量与骨骼肌磷酸肌酸存在的线性关系，可以用尿肌酐的测试来进行力量、速度型运动员的科学选材。

研究表明，骨龄在 13 岁以上的普通少年，肌酐/体重系数比较稳定，与发育程度关系不大，主要受性别、遗传和训练的影响。肌酐/体重系数男性为 21.9 ± 2.7 mg/kg，女性为 18.8 ± 2.7 mg/kg。男性的肌酐系数显著高于女性，运动员的肌酐系数显著高于无训练者，力量、速度型运动员的肌酐系数显著高于耐力型运动员。因此，在发育与训练程度都接近的同性别受试者中，速度和力量素质较好者，其肌酐系数较高，反之则较低。这反映遗传因素对肌酐系数的影响。在此基础上提出了力量、速度型运动员的肌酐/体重系数选材参考值：男>24.6mg/kg，女>21.4mg/kg。

运动训练中尿肌酐体重系数变化可能有三种情况：(1) 尿肌酐体重系数增高，体重上升或不变，可能是肌肉 CP 含量提高或脂肪减少，肌肉增加。是肌肉机能提高的反映。(2) 尿肌酐体重系数不变，体重上升，则可能增加了肌肉的数量，也是肌肉机能提高的表现。(3) 尿肌酐体重系数减小，若体重不变，则可能是肌肉 CP 浓度下降的反映；若体重也随之下降，则可能是肌肉数量减少之故。这些都是肌肉机能下降的反映。

【讨论】日尿肌酐排量和尿肌酐体重系数对评定磷酸原供能能力有何不同？

二、糖酵解能力的评定

在 30 秒~3 分钟内完成的运动项目中，能量的供应主要靠糖酵解，运动后糖酵解的终产物乳酸大量的产生并堆积，血乳酸浓度高说明糖酵解能力强，供给运动时的能量释放的多。常采用让运动员在跑道上全力跑 400 米，跑后血乳酸值低于 10mmol/L 是无氧代谢能力低的表现，如血乳酸值达 14~15mmol/L 是无氧代谢能力高的表现。

运动时和运动后血乳酸的变化，是骨骼肌等组织中乳酸生成速率、乳酸进入血液的速率和血液中乳酸消失速率之间平衡的表现，因此，不同强度和时间的运动，由于有氧和无氧代谢所占的比例不同，血乳酸浓度也会不同。从运动时身体供能代谢过程特点来看，400 米和 800 米跑后血乳酸可达到最高水平。在不同距离游泳项目中，100 米和 200 米赛后血乳酸值最高，因此，对这些专项运动员训练方法应尽可能立足于提高训练后的血乳酸水平。

【讨论】10 分钟的最大匀速跑后血乳酸浓度能否上升到 15mmol/L？

三、有氧代谢能力的评定

在有氧代谢能力的评定中，常用无氧阈跑速变化来作为判断有氧代谢能力的依据。当有氧代谢产生的能量不能满足能量供应时，无氧代谢过程积极参与供能。在递增强度的运动中，随着运动强度的加大，血乳酸浓度逐渐升高，当达到一定强度时，乳酸即突然剧增，即体内由有氧供能向无氧供能转化，此转折点称为无氧阈（图 8—3）。大多数人无氧阈时的乳酸值为 4mmol/L。此点垂直于横坐标的点即是无氧阈跑速。

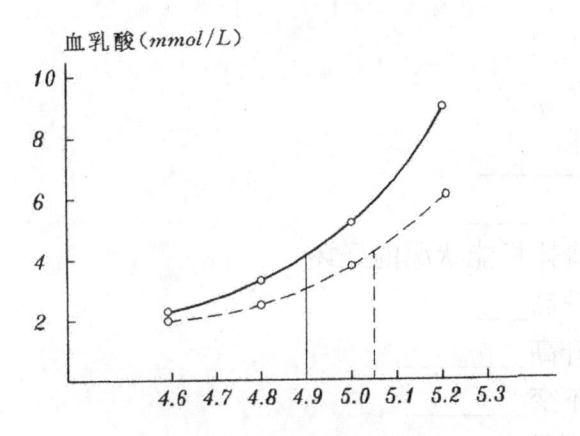

图 8—3 无氧阈跑速的比较速度 (m/s)

一般人无氧阈跑速在 3 米/秒以下，运动员的无氧阈跑速比非运动员高，优秀耐力项目运动员可达5米/秒以上。一个运动员随着耐力水平的提高，阈值速度增大。

有氧耐力除可用无氧阈速度不同评定外，在实际训练中，还可用同时需要有氧代谢和无氧代谢混合供能的强度进行运动，运动结束时进行一次血乳酸测定，由于运动员有氧耐力水平的差异，在以相同速度游相同距离（等量负荷）时，血乳酸浓度的结果不同，反映有氧耐力之差别。有氧耐力强的运动员由于运动中无氧代谢供能相对比较少，运动结束时血乳酸浓度低。如甲乙两名游泳运动员，同样以2分10秒游完200米距离，游后测定血乳酸浓度，甲为6mmol/L，乙为7.5mmol/L，表明甲的有氧耐力要比乙强。

再如评定中学生有氧代谢能力的台阶试验。这是一种需要有氧代谢和无氧代谢混合供能的运动，台阶高度为40厘米，受试者上下台阶5分钟，每分钟30次，共上下台阶150次，运动结束后取耳血测定血乳酸浓度。血乳酸浓度的高低与反映学生耐力的800米成绩有关，血乳酸浓度越低者800米成绩越好。这是由于在等量负荷的台阶试验运动中，有氧代谢供能好的学生，运动时无氧代谢参与供能的比例少，因而血乳酸浓度较低。

【讨论】什么叫无氧阈？它在运动实践中有何意义？

习　　题

1. 填空
(1)　　　　　　　男子　　　女子
　　日尿肌酐排出量_____　_____
　　尿肌酐体重系数_____　_____
(2) 请你评定下列几种变化时身体机能状况的好坏
　　体重上升，尿肌酐体重系数升高_____
　　体重不变，尿肌酐体重系数升高_____
　　体重上升，尿肌酐体重系数不变_____
　　体重不变，尿肌酐体重系数下降_____
　　体重下降，尿肌酐体重系数下降_____
2. 问答

（1）A 和 B 两名运动员同时进行 400 米跑测验，运动成绩相同，跑后血乳酸分别为 14mmol/L 和 17mmol/L，试问 A、B 运动员的糖酵解能力和有氧代谢能力有何区别？

（2）某运动员进行阶段训练，训练前无氧阈跑速为 4.3 米/秒，训练后为 4.5 米/秒，试问该运动员的运动能力有何变化及表现哪种代谢系统的变化？

第三节　机能状态的评定

人体机能状态的评定对了解运动量是否适宜、运动后恢复状态及训练和锻炼效果都具有重要意义。评定身体机能状态可用单一或几个生化指标综合评定，常用的指标有血红蛋白、血尿素和尿蛋白等。

一、血红蛋白

1. 血红蛋白的功能

血红蛋白又称血色素，是血液中红细胞的主要成分，是一种含铁的红色蛋白质。它在血液中主要承担运输氧的功能，机体所需要的氧，96%以上是靠血红蛋白运送的。

$$Hb + O_2 \underset{\text{组织细胞}}{\overset{\text{肺部}}{\rightleftharpoons}} HbO_2$$

　　血红蛋白　　　　氧合血红蛋白

此外，血红蛋白还在二氧化碳的运输及维持血液的酸碱平衡中起着重要作用。例如一名运动员其他功能不变，而血红蛋白由 150g/L 下降到 135g/L（下降 10%），机体获得氧的量将减少 9.64%，排除二氧化碳和缓冲酸碱的能力也下降。由于机体得到的氧减少，通过糖酵解产生的乳酸增多，加之缓冲能力的下降，使内环境的 pH 值向酸性方向变化，这种变化对于有氧耐力和无氧耐力项目运动员的运动能力都将产生不良影响。

2. 血红蛋白与运动量

血红蛋白正常值男性成人为 130g/L 以上，女性成人为 120g/L 以上，低于正常值在医学上诊断为贫血。

运动员在大运动量训练开始阶段血红蛋白下降，这是由于红细胞破坏增加、再合成相对较少之故。之后经过一段相对稳定时间,随着身体的适应合成量的增加,血红蛋白逐渐回升。这是机能改善、运动能力提高的表现。

关于大运动量训练引起血红蛋白下降,这是一种暂时现象,是机体对加大运动量尚未适应的结果,是一种正常生理现象,是运动训练中必然出现的规律,否则运动能力就不会逐步提高。随着机体代谢能力的加强,血红蛋白会逐渐回复。

3. 血红蛋白与机能状态

由于血红蛋白与运动能力关系密切,是影响运动成绩的重要因素,因此运动员血红蛋白的数值,应考虑以达到运动员最大有氧代谢能力的要求为标准。一般认为,血红蛋白在160g/L左右时,最适宜于发挥人体的最大有氧代谢能力。因此,运动员理想的血红蛋白数值为160g/L左右。在140g/L左右为亚理想数值,这时运动能力就会受影响,更不能降至贫血标准。因此,运动员血红蛋白从机能评定要求,应经常处在160g/L左右,耐力运动员有时可达170~180g/L。

当运动员处于过度训练状态时,血红蛋白下降到较低水平,并保持较长时间;当机能状态好转时才又回升。当血红蛋白比正常水平下降10%时,运动员参加比赛的成绩多数都不好;如果下降20%时,运动成绩下降。在血红蛋白上升时参加比赛,一般成绩较好。因此,经常测定血红蛋白水平了解运动员的机能状态,以便及时调整训练的安排。

4. 血红蛋白与选材

人体血液中红细胞经常不断地破坏与再生,正常情况下,红细胞的寿命约120天左右,与此同时血红蛋白也在不断地更新。正常时,一个人的血红蛋白保持相对稳定状态,经连续多次的测定便可得知其血红蛋白的正常值。经研究血红蛋白的遗传力为0.81~0.99,不同人血红蛋白的正常值会有差别。更重要的是在各种不利的条件下,各个人的红细胞再生能力有所不同,再生能力强的人,在不利环境时血红蛋白的稳定性强,对一个优秀运动员,特别是优秀耐力项目运动员,血红蛋白应具有较高的稳定度。但是在一般人中,有少数人血红蛋白的稳定度差,在运动量稍大时血红蛋白即下降,当运动减小时且回升很慢,因此,在运动员选材时,这类人不应作为优秀运动员培养对象。运动员正常安静时的血红蛋白女子应在130g/L以上,男子应在140g/L以上。

【讨论】为什么运动员的血红蛋白浓度应当比一般人高?

二、血尿素

1. 蛋白质代谢与血尿素

蛋白质分解代谢最终除生成二氧化碳和水外,释放的氨大多在肝脏中合成尿素,然后进入血循环,最后从尿中排出。所以血尿素是蛋白质分解代谢的终产物之一,它的多少反映了机体蛋白质代谢的强度。

2. 血尿素与运动量

正常情况下,人体内蛋白质的分解与合成代谢处于平衡状态之中,机体中血尿素的生成和排泄保持平衡,血液中尿素浓度是比较恒定的。运动员在剧烈运动时,由于体内缺氧,酸性代谢产物在体内大量堆积,体液pH下降,蛋白水解酶活性升高,蛋白质分解代谢加强。特别是长时间大强度运动,肌肉内部能量平衡失调,需要蛋白质参与部分能量供应和其他能源物质的恢复,这也导致蛋白质分解代谢的加强。蛋白质分解代谢率的增加,使运动后血尿素含量升高。

一次运动后血尿素的升高量与运动负荷量有关,如某运动员在进行中等运动量负荷时,血尿素由安静时的4.5mmol/L上升到5.8mmol/L,在进行大运动量负荷时,升高到8.0mmol/L。这是由于大运动量负荷时机体蛋白质分解代谢大大加强,代谢产物因而增多。

用血尿素浓度评定运动负荷的量度时,负荷的时间要求在30分钟以上才能引起血尿素上升。根据国内外研究,在一次训练课后血尿素在8.4mmol/L以下的负荷程度较为合适,不同运动员由于项目不同、训练水平不同和机能状态不同,运动后升高的幅度各不相同。

3. 血尿素与机能状态

人体在正常情况下蛋白质的更新代谢比较恒定,故血尿素保持相对稳定水平。我国正常成人血尿素浓度为 4～7mmol/L,运动员空腹血尿素较常人高,这与运动员的肌肉发达和更新速度快有关。力量性项目运动员安静时血尿素比其他项目更高。

蛋白质分解代谢的加强,不仅发生在剧烈运动时,还会延续到运动后休息期,所以常表现为运动后次日或第三日仍保持较强的分解代谢;其恢复正常的速度与机体适应程度有关,训练水平高或机能状态好的人,恢复较快些;运动员机体对运动负荷的适应性越低,蛋白质分解丢失的越多,代谢产物尿素在血液中的含量就越高。如果血尿素在运动后升高,而次日晨恢复至正常或比原来的水平低些,说明身体对负荷适应;如果血尿素在训练期早晨停留在升高水平或继续升高,说明经过一夜休息身体还未恢复。如果运动员对训练或环境不适应,开始时血尿素上升,在其后的训练中,当身体逐渐适应时,血尿素又会逐渐下降至开始水平。

血尿素的变化规律可概括为三种类型:1. 训练期中血尿素含量不变;2. 在训练期开始上升,然后逐渐恢复正常;3. 在训练期中始终升高。第 1 种类型说明运动量小;第 2 种类型是运动量足够大,但身体能适应;第 3 种类型说明运动量过大,或在上一周期训练后身体还未恢复下进行训练,这时就要注意对运动量的控制(表 8—1、表 8—2)。

表 8—1 自行车功率计上连续运动五天血尿素变化 (mmol/L)

第1天	第2天	第3天	第4天	第5天
3.5	3.9	4.5	4.6	5.2

表 8—2 海拔 2000 米高原训练时晨血尿素变化 (mmol/L)

平原	上山适应1～2天	训练2天后	训练7天后	训练14天后
4.6	5.0	6.3	5.9	4.9

运用血尿素指标评定身体对训练的适应时，应选择大运动量训练课。如评定一个训练周期情况，可在训练周期开始、中间和结束的早晨取血测定。

【讨论】用血尿素评定运动负荷量为什么要求负荷时间在 30 分钟以上的运动后取样？

三、尿蛋白

1. 运动性蛋白尿

正常人的尿中每天排出蛋白质在 150 毫克以内，大部分人在 40~80 毫克范围内。尿中蛋白质的种类与血浆蛋白种类相似。由于安静状态尿中蛋白少，用一般临床检验法检查为阴性，用精密分析方法可测定出来，但对运动训练和临床无意义；大运动量训练后尿中蛋白量增加，一般情况下在 4 小时内基本消失，这种因运动引起的一过性蛋白尿，被称为"运动性蛋白尿"。它可在运动训练中用于判断运动负荷量及身体机能状态。

2. 尿蛋白与运动量

运动后尿蛋白出现的数量与训练负荷量有关，尤其与负荷强度关系更大，当强度加大时尿蛋白增加更显著。因而可用尿蛋白出现的数量来评定运动负荷量，尤其是负荷强度。

运动性蛋白尿存在个体差异性和个体相对稳定性，即不同运动员间尿蛋白排泄量，可不受训练水平影响，他们之间的不同是个体差异的结果，但就同一个体在完成相同负荷时，尿蛋白排泄量相对比较稳定。

3. 尿蛋白与机能状态

在大运动量训练过程中，运动员身体开始不适应时，尿蛋白排泄大量增加，继续坚持一段时间，完成相同的负荷强度和负荷量训练后，尿蛋白又会减少，这是运动训练中身体正常生理过程。如果尿蛋白不减少，或反而增加时，这是负荷过大，身体不适应的结果，这时应酌减运动负荷。所以，采用尿蛋白这一指标来评定机能状态时，宜进行系统观察。

【讨论】运动员一次训练课后尿中有蛋白出现是否应

该减小运动量?

【阅读材料】

运动员贫血

人体血红蛋白浓度男子低于130g/L、女子低于120g/L即为贫血。根据调查，我国7岁以下儿童贫血发生率达40%，运动员贫血率也很高，特别是儿少运动员，贫血率在30%以上。贫血者在体力活动时气短，易疲劳。引起贫血的原因有营养因素和训练因素。研究发现：贫血者绝大多数属于缺铁性贫血，因此主张运动员应增加铁的补充，尤其是吸收率高的血红素铁。

血红蛋白多有利于多输送氧给身体各组织器官，但不能认为血红蛋白浓度越高越好。因为在一定程度内，血红蛋白增多时，血球压积和血液黏稠度上升，使血流速度减慢，身体各组织供氧减少，对身体不利。最适宜的数值是血球压积为45%左右，这时血红蛋白大致相当于160g/L，又称为理想血红蛋白浓度。

习　题

1. 机体内血红蛋白的生理功能是_____、_____、_____。
2. 血红蛋白的正常值一般男子为_____g/L以上，女子为_____g/L以上，运动员的理想值为_____g/L左右。
3. 运动训练中血尿素变化的三种情况是_____、_____和_____，其中_____最好。
4. 大运动量训练课后运动员尿中蛋白量一般都_____，随着机体对运动负荷的适应又会_____。

本章小结

一、运动时的能量供应

运动时能量供应有磷酸原系统、糖酵解系统和有氧代谢系统三条途径。它们参加供能的时间顺序、输出功率和能量的多少各不相同，在各种运动项目中的地位也不同。

二、运动能力的评定

运动时能量供应状况与运动能力有密切关系，三种供能系统的代谢是评定人体运动能力的基础。

三、机能状态的评定

机能状态反映人体运动后的恢复状态和对运动负荷量的适应状况，机能评定常用的生化指标有血红蛋白、血尿素和尿蛋白。

附录 I

相对原子质量表

(按照元素符号的字母次序排列)

元素符号	名称	原子量	元素符号	名称	原子量	元素符号	名称	原子量
Ac	锕	227.0278	Ge	锗	72.61(2)	Pr	镨	140.90765(3)
Ag	银	107.8682(2)	H	氢	1.00794(7)	Pt	铂	195.08(1)*
Al	铝	26.981539(5)	He	氦	4.002602(2)	Pu	钚	[244]
Am	镅	[243]	Hf	铪	178.49(2)	Ra	镭	226.0254
Ar	氩	39.948(1)	Hg	汞	200.59(2)	Rb	铷	85.4678(3)
As	砷	74.92159(2)	Ho	钬	164.93032(3)	Re	铼	186.207(1)
At	砹	[210]	I	碘	126.90447(3)	Rh	铑	102.90550(3)
Au	金	196.96654(3)	In	铟	114.819	Rn	氡	[222]
B	硼	10.811(7)	Ir	铱	192.217(3)	Ru	钌	101.07(2)
Ba	钡	137.327(7)	K	钾	39.0983(1)	S	硫	32.066(6)
Be	铍	9.012182(3)	Kr	氪	83.80(1)	Sb	锑	121.760(1)
Bi	铋	208.98037(3)	La	镧	138.9055(2)	Sc	钪	44.955910(9)
Bk	锫	[247]	Li	锂	6.941(2)	Se	硒	78.96(3)
Br	溴	79.904(1)	Lu	镥	174.967(1)	Si	硅	28.0855(3)
C	碳	12.0107(8)	Lr	铹	[260]	Sm	钐	150.36(3)
Ca	钙	40.078(4)	Md	钔	[258]	Sn	锡	118.710(7)
Cd	镉	112.411(8)	Mg	镁	24.3050(6)	Sr	锶	87.62(1)
Ce	铈	140.116(1)	Mn	锰	54.93805(1)	Ta	钽	180.9479(1)
Cf	锎	[251]	Mo	钼	95.94(1)	Tb	铽	158.92534(3)
Cl	氯	35.4527(9)	N	氮	14.00674(7)	Tc	锝	[99]
Cm	锔	[247]	Na	钠	22.989768(6)	Te	碲	127.60(3)
Co	钴	58.93320(1)	Nb	铌	92.90638(2)	Th	钍	232.0381(1)
Cr	铬	51.9961(6)	Nd	钕	144.24(3)	Ti	钛	47.867(1)
Cs	铯	132.90543(5)	Ne	氖	20.1797(6)	Tl	铊	204.3833(2)
Cu	铜	63.546(3)	Ni	镍	58.6934(2)	Tm	铥	168.93421(3)
Dy	镝	162.50(3)	No	锘	[259]	U	铀	238.0289(1)
Er	铒	167.26(3)	Np	镎	237.0482	V	钒	50.9415(1)
Es	锿	[252]	O	氧	15.9994(3)	W	钨	183.84(3)
Eu	铕	151.964(1)	Os	锇	190.23(3)	Xe	氙	131.29(2)
F	氟	18.9984032(9)	P	磷	30.973762(4)	Y	钇	88.90585(2)
Fe	铁	55.845(2)	Pa	镤	231.03588(2)	Yb	镱	173.04(3)
Fm	镄	[257]	Pb	铅	207.2(1)	Zn	锌	65.39(2)
Fr	钫	[223]	Pd	钯	106.42(1)	Zr	锆	91.224(2)
Ga	镓	69.723(1)	Pm	钷	[147]			
Gd	钆	157.25(3)	Po	钋	[209]			

注:1. 相对原子质量录自1995年国际原子量表,以$^{12}C=12$为基准。

2. 原子量加括号的为放射性元素的半衰期最长的同位素的质量数。

3. 原子量末尾数的准确度加注在其后的括号内。

4. *表示该数据需复核。

附录 Ⅱ

部分酸、碱和盐的溶解性表（20℃）

阳离子＼阴离子	OH^-	NO_3^-	Cl^-	SO_4^{2-}	CO_3^{2-}
H^+		溶、挥	溶、挥	溶	溶、挥
NH_4^+	溶、挥	溶	溶	溶	溶
K^+	溶	溶	溶	溶	溶
Na^+	溶	溶	溶	溶	溶
Ba^{2+}	溶	溶	溶	不	不
Ca^{2+}	微	溶	溶	微	不
Mg^{2+}	不	溶	溶	溶	微
Al^{3+}	不	溶	溶	溶	—
Mn^{2+}	不	溶	溶	溶	不
Zn^{2+}	不	溶	溶	溶	不
Fe^{2+}	不	溶	溶	溶	不
Fe^{3+}	不	溶	溶	溶	—
Cu^{2+}	不	溶	溶	溶	不
Ag^+	—	溶	不	微	不

说明："溶"表示那种物质可溶于水，"不"表示不溶于水，"微"表示微溶于水，"挥"表示挥发性，"—"表示那种物质不存在或遇到水就分解了。